虚貌（上）

雫井脩介

幻冬舎文庫

虚
貌

（上）

目次

お母さん、どこに行ったの？

今、一緒にハンバーグをこねてたのに。

「卵を一杯入れると美味しくなるんだよ」

そう言って、ボウルに卵を五個も六個も入れて、楽しそうにかき混ぜていたのに。

あれは夢だったのか。

そりゃそうだ。ふつう、あんなに卵を入れるわけないもん。

テーブルに座ってたお父さんもいなくなってる。テーブルもないんだ。

「マー君、絶対に美味しいって言うわよ」

お母さんが言ってた。あのハンバーグ、マー君に食べさせてあげるんだったよね。

マー君、怪我して寝てるから。顔が痛いって泣いてるから……。

それは本当なんだ。

じゃあ、お母さんは? お父さんは?

全部、夢? いるんでしょ? どこ?

部屋のドアが開きっぱなしだ! 窓も!

不用心だから閉めなきゃ。危ないよ。誰か入ってくるって。

足が動かない。さっきまでふつうに歩いてたのに。やっぱりあれ、夢だったんだ。

早く。早く。じれったい。何で動かないの。誰か入ってくるってば。

もう、駄目。逃げなきゃ。お母さんが、お母さんが……。

お母さんが殺された!

殺されちゃった!

誰か、こっちに来る!

逃げなきゃ。逃げなきゃ……。

*

少女の叫び声が聞こえた。

ついさっきまで、穏やかな寝顔を見せていた少女の声だった。

発作だ。

ここ最近なかっただけに、園長は不意を衝かれた。

確か、窓が開いていなかったか。

階段の踊り場から二階を見上げると、ちょうどそこに少女の弟がいて、はっと目が合った。

「早く行ってあげて!」

弟は弾かれたように部屋のほうへ走っていった。園長も急いであとを追う。

部屋に駆け込むと、少女は何事か喚き散らしながら窓のサッシにしがみつき、もがくようにしてそれを乗り越えるところだった。

そのまま一気に、少女の身体が外に消えていく。

弟がそれに飛びついた。

かろうじて片足を摑んでいた。

「離しちゃ駄目よっ! 絶対離しちゃ駄目!」

園長は後ろからヒステリックに声を飛ばした。何とか加勢しようと、弟の脇から手を伸ばす。

少女は錯乱を増し、逆さ吊りのまま激しく暴れた。弟が食いしばった歯の隙間から

苦悶の声を洩らした。
弟の手が滑った。　摑み直そうとした指は、空をかいて硬直した。
園長は悲鳴を上げながら、自分の手で弟の視界を覆った。

第一章　一九八〇年　凶行

1

　五十万か。やはり給料を前借りするしかないだろうな……。

　荒勝明はおびただしい数の金魚が水槽に放り込まれるのを見ながら、ずっとそのことを考えていた。

　この夏にしては珍しく暑い日だが、ラジオの天気予報では、午後から雷雨が来るだろうと言っている。

「今日みたいな日にゃ、どっこも祭りなんてやらんと思うがな」

　そう言いつつも養魚場の主人は、荒の二トントラックの水槽に大きなネット三杯分の金魚を入れてくれた。

「いいんですよ。そういう契約だから」

　時山次郎が作業を見守りながら言う。

「ちゃんとかわいがってくれって言っといてよ。はい、これで今日はお終いかね？」

言って、養魚場の主人は曲がった腰を伸ばした。

お盆明けの土曜日で、名古屋の主要道路はどこも混んでいた。それでも荒は何とか午前中に配送を終え、一宮にあるこの養魚場に駆けつけた。今日は時山と坂井田昇が来ている。誰が来るかは、このアルバイトを取ってきた時山が決めることだ。全員に行き渡る仕事ではないために、順番で割り振られる。断る者はいない。

「よし、急ぎましょうや」

時山が荒の肩をぽんと叩いて、自分のトラックに乗り込んだ。

遅くとも二時には事務所に戻らないと、社長に勘繰られてしまう。荒も慌てて荷室のドアを閉めて運転席に乗り込んだ。

時山のトラックが先に出て、荒があとに続く。運転席で弁当を食べていた坂井田も、荒の後ろにしっかりついてきた。

名岐バイパスに出るまでの細い一車線道路を時山のトラックが飛ばしていく。荒も置いていかれないようにアクセルを踏み足した。

この金魚は岐阜全域から愛知の北部あたりまでの香具師を束ねているという、岐阜市の《安岡興業》に運ばれる。夏の間、毎日のように開かれる大小の夏祭りに露店を出す金魚すくい屋は、そこから金魚を仕入れるわけだ。

こんなアルバイトでも、多いときには一カ月に三万円ほどの実入りになるので馬鹿にならない。特に、今は少しでも金が欲しいときだ。

だが、五十万円というのは、二万や三万、都合をつけたところでどうしようもない。それがまったく頭の痛いところだ。やはり給料の前借りしかないだろう。今月の分は先月すでに前借りしているので、来月分の給料になる。もちろんそれだけでは足りない。今後五カ月の給料から十万円ずつというところか。

四つ角に差しかかったところで、突然時山の車がクラクションとともに急ブレーキをかけた。

ぼんやり考え事をしていた荒は一瞬反応が遅れ、渾身の力でブレーキを踏んだ。冷や汗がどっと出る。

こぶしも入らないくらいの距離を残して何とか停まった。助かった。

と、思ったのも束の間、後ろから鈍い衝撃が来た。そのまま玉突き状態で時山の車にもぶつかってしまった。

「何やっとるんだあっ？」

後ろから坂井田が眼を吊り上げて降りてくる。前からは時山も顔をしかめて出てきた。

「いや、俺はちゃんと停まったんだけど……」

荒はうろたえつつも自己弁護した。

「こっちの優先無視して、横からバイクが入ってきやがったんだ」時山が不機嫌そうに言う。

時山が最初に停まったのだと知って、坂井田の剣幕がトーンダウンした。

荒のトラックの後ろを見るなり、時山が坂井田の頭をはたいた。

「何だぁ。お前がぼうっとしとったんだろうがっ」

「いや、だって飯食っとったし……」

坂井田が言い訳にもならないことを言って、頭をかいた。

「そんなことより、これどうするよ？」

荒は自分の車の荷室の扉の把っ手が歪んでいるのを見て、暗い気持ちに陥った。

「こんなん、大したことないて」坂井田が無責任に言い捨てる。

だがほかの箇所と比べても、衝突の損傷はそこが一番ひどかった。塗装が剝げて、ドアにめり込んだようになっているのだ。

かろうじてドアは開いた。水槽の中の水がちゃぽんちゃぽんと波打っている。

「まあ、ドアが開くならいいでしょ。明日、知り合いの修理工に直させますよ。とりあえず今日は運ばないと」

時山が低い声で淡々と言い、全員、自分の車に戻ることになった。

16

岐阜市の〈安岡興業〉で金魚を降ろし、二時過ぎには荒たちが勤務する美濃加茂の有限会

社〈加茂運商〉の車庫にトラックを入れた。荷室を簡単に清掃し、奥の事務所に向かう。

モルタル塗りの小さな事務所は葉が厚く茂った木に囲まれていて、そこから蟬のかまびす

しい鳴き声が幾重にもなって降り注いでくる。事務所の前にはごつごつとした石を巡らして

作った花壇があり、大きなユリの花が開いている。

「ただいま」

事務室に入ると、奥にあるスチールの机で事務仕事をしていた社長の気良公彦が無表情の

顔を上げた。

「遅かったな」

「ええ、道が混んでたもんで」

口ごもりながら、何とかごまかす。

気良の前では奥さんの佳代が伝票の整理をしていた。彼女の髪は首筋あたりでまとめられ

るほど長かったが、ぱさぱさとして艶がなかった。目鼻立ちは整っているのに、化粧が薄い

ためか地味で老けた感じのする女だった。

「あの……」

「ん?」

「あ、いや……」

給料の前借りをさせてくれと言いたかった。だが、何となくタイミングが違うような気がして、結局言うのをやめた。言ってすぐ、五十万もの金額がそろうとも思えない。なら来週でもいいだろうと消極的に思い直した。

荒は佳代に伝票を手渡し、隣の休憩室に入った。

「お疲れ」

低く怠惰な声が飛び交う。荒が一番最後だった。同僚たちは大きな長方形のテーブルを囲んで思い思いに椅子に腰かけ、煙草の煙をもうもうと吐いている。荒は魚くさい手を石鹸で丹念に洗ったあと、冷蔵庫から冷えた麦茶を取り出して水垢のついたグラスに注いだ。空いているパイプ椅子は扇風機から一番遠かった。作業服のボタンを外し、タオルで汗をひとしきり拭う。

窓は開け放たれ、扇風機も「強」で回っていたが、事務所の空気は蒸し暑さと人いきれによって淀んでいた。事務所の前、深い谷を悠々と流れる飛驒川を越えて運ばれる風も、荒の手前でことごとく失速しているようだった。

砂埃で汚れたテレビでは、今朝起こったばかりのガス爆発事故のニュースを流していた。国鉄静岡駅前の地下街で起こったこの大事故は、車中聞いていたラジオ番組でもたびたび

速報が伝えられていたものだ。だが映像で目にすると、その凄まじさは想像を超えていた。地上の道路は爆風や衝撃で砕け散ったガラスや残骸で埋め尽くされ、引火して炎上する消防車や地下街の出口でうずくまる負傷者らが繰り返し映し出された。消防士らを含めて数人の死者が出ているという。

「へええ、すげえな、こりゃ」

一番前に座って見ている坂井田が感心したように言う。何かのショーでも見ているふうであった。彼だけでなく、ほかの連中も似たり寄ったりだ。少なくとも一仕事終わって虚脱感が漂うこの場では、伝えられるニュースが悲劇的であればあるほど、良質の清涼剤に過ぎなくなっている。

「今日もこれ?」

隣に座っていた気のいいお父さんといった風柄の有田直己が、麻雀牌を積み上げる手つきをしながら荒に話を向けた。荒は麦茶を喉に流してかぶりを振った。

「いやあ、お盆でスッカラカンだでね」

荒の虚脱感の原因はそれだった。お盆休みは昨日だけ取れたが、例のごとく一日中雀荘に入り浸っていた。そして有り金を吐き出して、なおかつ借金を作ってしまったのだ。今日は仕事をしている間中、借金をどう返し、給料日までの半月をどうしのぐかを考えていた。

「荒君は気楽でいいわな。うちなんか盆休み中、馬鹿息子三人が家でグダーッとしてよう、暑苦しいの何の。まあ、外で問題起こさんだけましだわと思っとったわ。真ん中の息子が今頃になって予備校に行きたいなんて言い出しよるし。たわけか、今まで何やっとったんだって言ったるんだわ。名大名大って、あの調子じゃ何浪するか分からんわ。まあ、それでも行きたいっちゅうのを行かさんわけにもいかんしな。まったく困ったもんだ」

そんな有田の話を、荒は愛想笑いもせずに聞き流した。安月給で三人の子供を養うのは大変だろうが、自分のことを気楽でいいと言われては、彼の愚痴に共感することなど無理な話だった。

確かに麻雀は好きでやっている。厳密に言えば「やっていた」だ。

今年で三十一歳となった荒だが、その生活において麻雀以外の楽しみというものはない。名古屋の中学を出てから職を転々としているうちに友達という存在とも縁遠くなり、休みの日は中古のファミリアを駆って、どこかしらの雀荘で日がな一日を過ごすようになっていた。たいていは美濃加茂の町にある〈大三元〉か岐阜の柳ヶ瀬にある〈田村〉で遊ぶことが多い。どちらも一人で行っても打てる雀荘だ。あるいは名古屋の駅前にある〈喜風〉まで遠征するときもあるが、実家には戻らない。

最近は休日ならもっぱら柳ヶ瀬の〈田村〉に通っていた。商店街からは外れたところにあ

るが、駐車場もちゃんとあってこぎれいな店だ。何回も通っているので、打ち仲間のような者も何人かいる。隠居の原さん、県庁に勤める横田さん、お百姓の藤岡さんというあたりは、行けば必ず出張っていて、荒を快く卓に迎えてくれる。みんな無茶な賭けをしないし、サロン的な雰囲気を楽しめる。

レートはテンピンのワンツーでやる。千点が百円で、箱の点棒をさらえてしまえば、三千円の負けとなる。世間一般の平均的なレートでもある。割れ目やカンウラなどの、やたら手が高くなるルールはつけない。

荒は大負けすることこそないものの、勝つことは少なかった。田んぼを奥さんに任せっぱなしで雀荘にこもっている藤岡さんが相当に強く、彼が入るとどうしてもプラスでは帰れない。それが悔しくてまた〈田村〉に足を向けるわけだ。そして、知らぬうちに財布が軽くなっているということになる。

それでも手持ちの金で遊んでいる分には、それがなくなったとしても給料の前借りなどでその月を乗り越えればいいのだから何という問題もなかった。むしろそれくらいのスリルが麻雀を面白くしていると言ってもいい。だが、今度の盆休みは遊びを超えてしまった。

八月十五日、荒は各務原(かかみがはら)の喫茶店でモーニングを食べ終わると、柳ヶ瀬に車を走らせ、いつもと同じように十一時過ぎに〈田村〉へ入った。店内には二組の卓ができていて、三組目

は人数が足らずにサンマ（三人麻雀）でお茶を濁しているようだった。

原さんと藤岡さんはすでに卓を囲んでいた。県庁の横田さんはお盆休みで在所の中津川に帰っているということだった。メンバーにはときどきこの店で顔を見る六十代のおじさんとマスターが入っていた。半荘が終わればマスターが抜けるので、荒は卓の後ろで藤岡さんの打ち筋を見せてもらうことにした。

ところが思いもかけず、サンマの卓から荒に声がかかったのである。

荒はたとえ〈田村〉といえども、まったく知らない面子の集まる卓に入ることは避けていた。中には一見して、ヤクザ者ではないかと思われるような連中の集まる卓もあったからだ。ただ、そういう連中は暗黙のうちに素人を引っ張り込むことは控えているようだったので、今まで は気をつけるまでもなかった。

荒を誘った三人は三十代から四十代のアロハシャツを着た男たちで、カタギではないように思われた。しかし、なぜ荒を誘ったかというと、その中の一人が以前、隠居の原さんが風邪をこじらせて打ちに来なかったとき、荒たちの卓に加わったことがあったからなのだ。奥山という、切れ長の眼で指にごつごつとした指輪をはめた男だった。一、二度顔を見たことはあったものの、その日は何の気まぐれか一人で来ていた。

彼は打ち手としては紳士的だった。捨て牌の河は整然としていたし、「ポンです」「ロンで

す」と、穏やかに敬語を使っていた。

強い男ではあるなと、荒は思っていた。何をもって強いとするかは人それぞれだろうが、荒の場合は、親の番での勝ちっぷりを見ている。親番は一番最初に牌が回ってくるので有利である。その有利な中で確実に勝つということは、何より打ち筋がしっかりしていることの証拠である。

ただ、その日の奥山は、藤岡さんに倍満を二回振り込んだのを始め、親での収入よりも出費のほうが多かった。半荘を七回ほどやり、トータルで二万円ほど負けただろうか。それでも金払いはよく、笑顔さえあった。荒はそのときは珍しく浮き、六千円ほど財布に入った。今思えば、そのことがあったからこそ、あの席は断り切れなかったのだ。そしてまた今思えば、マスターもあのテーブルにはつきたくなかったのだろう。彼も負ければポケットマネーから出血しなければならない。とはいえ、客にいつまでもサンマをやらせているわけにもいかない。

「荒君、頼むわ。あんたが負けても、少しくらいなら俺も援助するでよ。カツ丼もおまけしとくし」

そう言ってマスターは荒の背中を奥山たちの卓へ押した。

「ルールはこの前と同じでいいですね?」

奥山は穏やかに言い、一つだけ提案してきた。

「馬はゴットーでいきませんか」

「はぁ……」

馬というのは、順位の優劣などで加算されるボーナス点のことだ。ゴットーなら通常、一位が一万点、二位が五千点。逆に三位と四位からは五千点と一万点が引かれる。

荒たちはいつも一位が二万点、二位が一万点のワンツーでやっているので、ゴットーならそれより大人しい。ちょっと気にかかりながらも、それが彼らの遊び慣れたレートなのだろうと思い、了承した。

しかし、彼らの言うゴットーとは、五千点、一万点という単位ではなく、五万円、十万円のことだった。

一回目の半荘で、荒は字牌が面白いように集まり、しかもタイミングよく鳴けてトイトイを三回上がった。満貫が一回あり、相手に振り込むこともなく、プラス三十二のトップだった。そこまではよかったのだが、奥山は半荘一回ごとの精算だと言い、三千二百円に加えていきなり十万円を卓に置いたので、荒はびっくりしたわけである。

そんなレートとは思っていないので、荒はもちろん受け取りを拒んだ。しかし、奥山は聞く耳を持たず、口の端を歪めて言った。

「トップの馬が千円のわけはないでしょう。　学生の麻雀じゃないんだから」

三人はすでに次の場決めに入っていた。

「そんなもん、いつまでも出しときなさんな」

面子の一人から一喝されて、荒は反射的に十万円をポケットに入れてしまった。マスターがちらちらと荒を気にする素振りを見せていたが、荒がSOSを目で訴えると、彼はひょいと視線を逸らしてしまうのだった。

荒がついた卓の雰囲気は、いつものサロン的なものではなく、いつしか正真正銘の鉄火場のような息苦しさに包まれていた。何とか大負けしないように打つしかなかった。手持ちは二万円ある。こういう場合、荒が勝っているうちは終わらない。馬をプラスマイナスゼロにして、手持ちの金で収まるようにうまく負けることが必要なのだ。

二回目の半荘、荒はマイナス七の三位。トータルはプラス二十五で馬はプラス五万円。もしかしたらこれで終わってくれるかという甘い期待を抱いた。しかし、半荘二回で終わってくれるような場ではなかった。特に奥山は財布から万札が二十枚出て、顔に異様な赤みが差していた。

「あのぉ、僕、このあと親戚の法事があるものですから、あと一回で終わらせてもらいます」

荒が恐る恐る言うと、奥山は舌打ちしながら険のある眼で睨んできた。

「え？　何時？」

「さ、三時なんです」

「どうして最初に言わないんですか？　そんな麻雀はないでしょう！　最低あと五回。それとも次の半荘、五倍の馬でやりますか？」

どすの利いた声で言われて、荒はすくみ上がった。

「じゃ、じゃあ、あと五回で……」

消え入る声で答えるしかなかった。

この五回の半荘がまるで悪夢だった。ドラを暗刻にしたトイトイの単騎待ちや引っかけのカンチャンリーチなど、一癖も二癖もある三人の攻め手に、荒は一人で当たり牌を振り込み続けた。親のリーチに対して荒の上家がどら真ん中の六萬を通すので、これは大丈夫だと思って捨てた九萬に、待ってましたとばかりに親の手牌が倒れるのだった。

結局、トータル七回の半荘は嘘の法事がある三時を優に過ぎて、荒は五百七十のマイナス。馬では四十五万のマイナス。トータルの負けは五十万円を上回った。

「金も払わずに法事も何もないでしょうが！」

そう奥山に啖呵を切られて、そのまま荒は歩いたこともない柳ヶ瀬の狭い裏通りにある街

金融に連れていかれた。その〈ローンズ・マキ〉という薄暗い事務所では、ちょうど返済の遅れた客がヤクザまがいの男たちに胸ぐらを摑まれて振り回されているところだった。

荒は拇印と免許証で五十万円を借りさせられた。手持ちの金と合わせて負け分を奥山たちに払い切り、やっとのことで自由の身となったのだった。半分しか喉を通らなかったカツ丼も、その帰り道で吐いた。

「荒君、いくら何でもそんな馬に乗ったら駄目だわ。カモりにきとるの見え見えだがね。何でそんな無茶したの？」

憔悴し切って雀荘に戻った荒に、マスターは責めるような口調で言った。もう返す言葉もなかった。

「負け分、援助するって言ったけど、うちも目一杯の経営しとるでね。まあ、これだけ出すで、足しにしたって」

マスターはそう言って一万円をくれた。原さんも藤岡さんも、そして話したこともないおじさんも気の毒に思ったようで、一万円ずつカンパしてくれた。それでも、これだけでは利子ぐらいにしかならず、五十万円という、荒にしてみれば途方もない借金がわずか数時間でできてしまったことに変わりはなかった。

「警察に行って何とかならんかな」

「それはいかんわ。警察なんて何もしてくれんで。自業自得だろで終わりだわ。警察はいか
ん」

　警察に踏み込まれたら商売も上がってしまう。マスターは首を横に振り続けた。

「〈ヘローンズ・マキ〉はこのへんじゃあ高利で悪名高いでねえ、早いうちに返さないかん
よ」

　マスターの声を背中に受け、荒は雀荘の扉を閉めた。あとはどうアパートに戻ってきたの
かさえ憶えていない。

　荒の給料は薄給の部類に入る。手取りだと十二、三万というところだ。それでも生活費は
五万もあれば事足りるから、残りの七、八万というのは麻雀の金に使える。臨時収入も遊ぶ
金に回せる。だから荒は総じて今の仕事には満足していた。

　朝五時に仕事が始まるというのも、慣れればどうということはない。〈加茂運商〉は加茂
郡の七宗町や白川町近辺の養殖業者から鱒などの魚を買いつけて、名古屋周辺のスーパーや
魚屋、旅館といったところに卸すという、仲買と運送を兼ねたような事業をしている。酸素
ポンプ付きの水槽を備え付けた二トンの保冷トラックでルート配送をする。真夏の炎天下で
もピチピチの活魚を運ぶことができる。営業セールスもなければ気を遣う相手もいない仕事
だ。

今までやった板金だの土木作業だのという仕事は、荒の身体に合わなかった。仕事というより徒弟的な人間関係が大の苦手で、その気苦労のために胃をやられてしまった。この世の中、自分の居場所というのはあるようで、なかなか見つからないものだ。〈田村〉もそう思えば貴重な場所だったが、当分足を向ける気はしない。

「さてと」

ニュースが終わり、一人、二人と席を立った。同時に、事務室から気良が顔を覗かせた。

「坂井田と、時山、それから荒。ちょっとこっちへ来てくれ」

地声の大きい気良にしては抑えた声だったので、荒は自然と緊張した。坂井田と時山も警戒した顔つきでお互いを見合わせている。

何とも嫌な予感が荒の胸を曇らせた。

「お先に」と、ほかの連中が事務所を出ていくのを横目で見ながら、荒は事務室に入った。

佳代は伝票整理に追われているのか、三人のほうには目を向けようとしなかった。

「座ってくれ」

気良が荒たちを窓際のソファに促した。佳代は三人に目を合わさぬまま立ち上がり、扇風機をソファのほうへ向けて、またデスクに戻った。

窓側に坂井田と時山が、反対側に荒が座り、気良は入口に向かった一人掛けのソファに腰

を下ろした。

「トラックの傷、どうしたんや？」

開口一番、苦々しげにそう訊いてきた。

やはり見つかったか……荒はこれ以上ないところまで気分が沈んだ。

四十六歳の気良は、やや細身ながら精悍な顔で押しの強いタイプの男だった。ただ、口数は少なく、社員とは滅多に話をしない。そういう態度は社長という人種特有の偉ぶりであるようにも感じられ、荒にとっては親しみを持てる相手ではなかった。

「何で三台が三台、傷を付けとるんだ？　並んで走っとって玉突きやったってことだろ？どこでそんな三台並ぶルートがある？」

「帰ってくるときにすぐそこでやりました」

時山が悪びれもせずに言う。

「何で言わん？」

「いや、今から言おうと……」

「嘘つけって！」

気良が苛立ったように声を張り上げた。

「お前ら、いったい何をやっとるんだ？」

荒はもちろん、ほかの二人も言葉を発しなかった。坂井田はふて腐れたように足を広げて耳をかいていた。二十二歳の暴走族上がりで、髪はポマードの乗ったリーゼントで固めている。一重まぶたの眼つきは暗く、唇がさがさに乾いていた。笑顔さえも棘のある男だった。

それでも坂井田という男の歪み方はまだ傍目に分かりやすかった。二十五歳の時山は、坂井田とは違って歪みのすべてを内側に隠しているような男で、彼の心とは底のない泥沼を地盤にしているのではないかと思われた。

表向きには甘い顔をした、厚い唇が印象的な男だ。しかし、日々接してみると、妙に肝の据わった、そして頭の回転の速い男であることが早晩分かってくる。この男も昔は暴走族やその手の輩が集まるグループに属していて、それもリーダー的な存在であったのではと荒は想像する。香具師の元締めなど、交友関係も見るからに怪しい。坂井田も彼には一目置いているようで、子分的な立場を甘受している。

「前から何べんも言っとるけどな、配送先から抗議が一杯来とるんだぞ」

気良がソファの肘掛けをコツコツと指で叩いて言う。

「魚はぞんざいに扱うし、数は間違っとる。大きさもまったく注文通りに持ってきてくれん。何や知らんがバタバタと慌てて、話もろくに聞かんと帰ってくって……。まったく、どういうこった?」

　金魚は夏場だけのアルバイトだが、時山はいろんな情報網を使って仕事を見つけてくるので、夏場以外にもアルバイトはある。ひよこだったりうなぎだったり、あるいは人であったり、テレビであったりと、とにかくありとあらゆるものを帰り荷にして小銭を稼いでいる。

　たいていは昼の休憩を抜けば時間的に合わせられるが、〈加茂運商〉は春から夏にかけては鱒に加えて鮎を扱うので、本業がほかの季節に増して忙しい。何とか社長に怪しまれずに内職をこなそうと思えば、配送先での作業時間を短縮して時間を浮かせなければならない。

　魚は配送先の注文によって、生きたまま水槽で運ぶ活魚と発泡スチロールのトレイに氷詰めして運ぶ鮮魚の二通りがある。鮮魚ならば魚の入ったトレイを運んで、空きのトレイをもらってくれば済むが、こだわるところは活魚のまま、しかもサイズを細かく指定してくるので、見繕うのに時間を取られてしまう。時間を浮かしたいこちらとしては、勢い雑になるのはやむを得ないところで、そのあたりが不評を呼んでいるわけだ。

「金魚か？」

　気良がズバリと訊いてきた。

「なあ、荒。金魚か？」

「いえ、そんな……」

　何で俺に訊くのだ。荒は思わず目を泳がせた。

今月の初め頃、〈安岡興業〉で降ろし洩らした金魚が水槽の底で跳ねているのを坂井田が見つけて、ここの車庫の脇に投げ捨てたことがあった。坂井田という男はまったく後先を考えないのだ。案の定、その金魚を気良に発見されて、疑いを抱かせてしまった。

そして今日のこれだ。当分、金魚も控えたほうがいいなと荒は思った。自分だけでも離れておいたほうが賢明だ。

「知っとるんだぞ、俺は。隠れてこそこそやっとっても、丸分かりだ」

気良が三人に冷たい視線を巡らす。

「なあ坂井田？」

今度は坂井田に目を向けた。

「知っとったら訊かんでええがや」

独り言のつもりなのか、坂井田がブツブツと言う。

「馬鹿、何てことを言うんだ……荒は頭を抱えたくなった。気良も呆れて坂井田を見ている。

「お前ら、会社の車使って何をやっとるんや？　常識っていうもんがないんか？　そんなことで車傷つけて、俺に直さすんか？」

気良の口調がだんだん荒くなる。

「自分たちで直しますよ」

時山が言うと、気良は彼を睨みつけた。

「そういう問題やない！」

部屋に響き渡る声で一喝する。

「お前らが金魚や何やって勝手に水槽に入れたことで、鱒や鮎に変な病気が伝染ったらどうするんだ？　そういうことまで考えとるんか？　お前らに生き物扱う資格なんてないわ！」

坂井田が不自然に喉を鳴らした。見ると、彼は歯を剥き出しにして食いしばり、気良を睨みつけている。いつでも手を出せるという不良少年の戦闘態勢だ。

「社長……」佳代が小声で気良を諌めた。

気良は自ら落ち着きを取り戻すように腰の据わりを直し、煙草を取り出して火をつけた。

彼がその一本を吸い終わる間、部屋には沈黙が続いた。

「時山は五年。荒は三年。坂井田は二年くらいか……」

気良が灰皿に煙草を押しつけながら言う。

「もうみんな子供やないんやで。それなりの自覚を持たないかん。そんなんでは、どんな世界でも通用しんでな」

「給料が少な過ぎるんですよ」

時山の口調はあくまで冷静だった。

「俺が五年やって十六万。サカが十二万。土建屋ならきょうび同年代で二十万もらってるやつなんてざらにいますよ」

「この仕事はな、儲けようと思って質を落としたら終わりなんだ。責任を持ってこなせるだけの仕事を確実にやるのが大事なんだ。俺は帰り荷なんて開拓しようとは思わん。そんな余力があるんなら、もっと本業に集中するべきだろうが」

「へっ。格好いいこと言ってよ、結局仕事をとるのは俺らだがや！」坂井田が顎を突き出して言う。眼が吊り上がっている。「それをお前らがピンはねしとるだけだがや。お前は鵜匠かっちゅうんだ」

「じゃあ、お前は鵜か？」

小馬鹿にしたような気良の切り返しに、坂井田がまた歯を剥き出した。

「子供の言い種だな」

気良は取り合おうとせず、首を振った。

「学校で何を習ってきた？ そんなんで世の中は通用しんぞ」

坂井田が今にも気良に飛びかかるのではないかと、荒はハラハラして見ていた。しかし、時山が横目で制したので、坂井田は思い留まったようだった。

「おい」

気良が佳代に声をかける。

「この三人の今日までの給料、すぐに計算したってくれ」

「でも……」

「いいから、早く！」

戸惑う彼女を、気良は叱りつけるように急かした。

荒は彼の言った言葉の意味を考えた。少し腰から力が抜けるような気がした。

「とにかく、うちではこれ以上、面倒見切れん。今日のことだけじゃなく、日頃の仕事ぶりも含めての判断だ。給料に不満があるんなら、どうぞほか行って稼いでくれ」

やはりクビだと荒は悟った。困ったことになった。アルバイトがなくなれば借金の返済の見通しも狂ってくると思っていたが、それどころではなくなった。蓄えなどまるでないから、生活費にも困る。世の中は不景気だ何だと言われているし、この歳になれば新しい仕事もおいそれとは見つかるまい。

「荒と坂井田は早いうちにアパートも引き払ってくれ。無理なことは言わんが、新しい人間が入れんのも困る。できれば今月一杯くらいでなるべく早くな」

荒と坂井田は気良の知り合いが持っているアパートを安い家賃で借りていた。同じ独身で、時山は一戸建ての借家住まいだったが、荒にそんな贅沢をするメリットは何もない。六畳

一間で十分だったし、気楽な根城で気に入っていた。そこを明け渡せというのもショックだ。

実家は兄貴夫婦が占領していて、十年前から荒の居場所はない。兄嫁とは二年前に顔を合わせたきりだが、蔑むような口振りがたまらなく嫌だった。兄貴自身も実の兄弟とは思えないほど冷たい態度を取ってくる。母親に会いたくとも、あの夫婦がいると思うだけでげんなりするのだ。とてもあそこには頼れない。

やがて気良が、佳代から受け取った三通の封筒をテーブルに置いた。

「保険証は送ってくれ。そのまま持っとっても今日限りで使えん。源泉徴収票は近いうちにこちらから送る」

「俺たちだけですか?」時山が言う。「同じようなことは、ほかの連中もやってますよ」

「もちろんそういう裏づけが取れたら順に処分してく」

気良は身を乗り出して、両膝に肘をついた。

「なあ。俺はこの仕事に誇りを持ってやっとる。ちゃんとした会社や。ゴロツキどもの好きなようにはさせん。分かるだろ。これはどうにも許せん一線や。お前らに目を覚ましてもらうためにも厳しくいかんと思う」

「けっ! ゴロツキで悪かったな!」

坂井田が勢いよく立ち上がった。

「辞めたる辞めたるっ。こんな会社こっちから願い下げだわ。憶えとけよっ！」

坂井田は給料袋を引ったくるように掴むと、ローテーブルの上に土足で乗って事務室を飛び出していった。

気良が舌を打った。

「お世話になりました」

続いて時山が凍りついたような眼をして小さく気良に礼を言い、席を立った。出ていくとき、凄まじい音を立ててドアが閉まった。思わず荒は肩をすくめた。

まったく馬鹿な連中だと、荒は思った。反抗的な態度で抗議しても何にもならない。食いっぱぐれて泣きを見るのは自分たちじゃないか。

「あの……」

荒は上目遣いに気良を見て、恐る恐る切り出した。

「申し訳ありませんでした。心を入れ替えてやりますんで、何とか……」

深く頭を下げてみた。頭を戻すと、気良は不愉快そうな表情を浮かべていた。ろくに荒の顔を見もせず、「あっち行け」というふうに手を振っている。それを見た瞬間、荒には絶望感と同時に、衝き上がるような怒りの感情が込み上げてきた。殺意と言ってもいいかもしれなかった。

気持ちを押し殺して事務所を出た。しかし、一歩、二歩と歩くうちに憤りは曖昧となり、代わって、本当にこれでいいのかという焦りが生まれた。ここを追い出されて何がある？

どこに行く？　せめてもう少し次の準備をする時間を与えてほしい。

荒はきびすを返して事務所に入り、事務室の扉をそろりと開けた。デスクに戻ろうとしていた気良と目が合った。

「あ、あ……」

荒は出てこない言葉の間を埋めるように、コンクリート敷きの床に膝と手をついた。

借金があるんです。今、仕事がなくなると困るんです。もう少しここにいさせて下さい。

そう言おうとしたものの、得体の知れないブレーキが働いて、口が動かなかった。それを言えば、自分が自分でなくなるような気がした。もう、土下座をしたこの時点で、かつて味わったことのない屈辱感に押し潰されそうだった。地を這う虫けらを見ているような眼だと、気良を見て思った。

結局何も言わず立ち上がった。自分の顔が歪んでいるのが分かった。荒はそのまま息を止めて事務所を出た。嗚咽が波のように押し寄せてきたのを、必死に堪えたのだった。車に乗り込んでハンドルに突っ伏し、そこでやっと声を上げて泣いた。

自分が何とも下種な人間に成り下がったのが、悔しくて仕方がなかった。生まれ変わる意

志を訴えたのに、それはただ手を振るという行為のもとで、いとも簡単に退けられた。そんな扱いを受けながら、さらに自分は土下座をして許しを請おうとしたのだ。

なぜ坂井田のように怒りをぶつけたり、時山のように一歩も引かず真正面から相手を見据えたりということができなかったのか。自分は彼らより下劣で、ひたすら惨めなだけの男ではないか。

「うわあああああっ！」

クラクションを鳴らして、荒は絶叫した。

「俺は、誰だあっ!?」

この自分という人間の、卑しいほどの存在感のなさはいったいどういうことだ？

「荒勝明！　荒勝明！　荒勝明！」

荒は自分の名前を叫びながら車を飛ばした。言えば言うほど、その名前に何の実像も見出せなくなった。

どこをどうやって運転したか憶えてもいなかったが、アパートにたどり着いていた。もう夕方だった。

作業服を脱ぎ捨てて、ごみ袋に突っ込んだ。無性に魚の生ぐささが染みついた体臭が気に

なり始めた。走って銭湯に飛び込み、頭から足の先まで皮が剥けるほど石鹸でこすった。貸し切りのような湯船に、のぼせてふらふらになるまで浸かった。

短い髪の毛を洗いざらしにしたまま銭湯を出ると、雨が降り始めていた。まだ陽が沈む時間ではないが、空は異様なほど真っ暗だった。アパートに戻ったときには本降りになっていた。

荒は暗い部屋に蛍光灯を灯した。石鹸とタオルの入った洗面器を万年床の脇に置き、布団の上に座った。そしてそのままゆっくりと大の字に倒れた。

ただ、雨の音を聞いていた。雨は激しかった。やがて雨脚が遠のき、外が静かになったと思ったのも束の間、今度は頭痛を引き起こすようなガラガラという騒がしい音が鳴り始めた。窓を開けてみると、雨ではなく、雹だった。アパートの裏にあるキャベツ畑一面に小さな白いつぶてが弾んでいた。

そのうち、再び激しい雨音が部屋にこもるようになった。外は完全な夜に変わった。遠くで雷鳴がくすぶっている。気温はいくぶん下がったが、ランニングシャツにじわじわと汗が染み出てきた。敷布団も不快な湿り気を帯びている。

ふと、ドアにノックの音がした。かなり強い調子の音だった。こんなときに誰だろうか。重い身体を起こしてドアを開けると、時山と坂井田が傘を畳んでいるところだった。

「飲みましょうよ」

時山が手に持っていた日本酒の一升瓶を軽く上げる。表情は事務所にいたときのまま、何の感情も読み取れないものだった。

「ああ……まあ、上がれや」

荒は年上なりの落ち着きを精一杯見せて、二人を招き入れた。二人は作業服のままで、足元がずぶ濡れだった。薄汚れた靴下を上がりかまちに脱ぎ捨てて部屋に上がる。荒は布団を畳んで、形のそろわないコップを食器入れの奥から取り出した。二人があぐらをかいた時点で座るスペースがなくなったので、荒は布団の上に乗る形になった。

小さな蜘蛛が畳の上を這っている。そんな荒の部屋ではあるが、二人にそれを気にする素振りはなかった。

「どうぞ」

坂井田が一升瓶の栓を抜いて、まず荒のコップに酒を注いだ。

「悪いね」

酒を飲む機会はそれほどない。嫌いではないが、自分の財布を開けてまで飲もうとは思わないからだ。

彼らが持ってきた酒は思いのほか美味かった。辛口で喉をよく通り、香りが鼻から抜けた。

つまみはなかったが、いくらでも飲める酒だった。

「荒さんも、何か言ってやりましたか?」

坂井田が充血した眼で訊く。まだ興奮が冷め切っていないようだ。息遣いが荒く、鼻では追いつかずに口を半開きにして呼吸している。

「あ、ああ」もちろんだというふうに、荒は首を振る。「言ったったよ。『お前んち、燃えても知らんでな』って」

舌をもつらせながらも、精一杯ブラフをかけた。

「へええ」

坂井田は荒れた唇を吊り上げて笑い、時山を見た。時山は顔色を変えずにぽつりと言う。

「面白いな」

ぞくりと肩の後ろあたりが寒くなった。

「面白いんじゃないか」

もう一度低い声で繰り返した。坂井田が自分のコップに酒を注ぎ足しながら、「へへへ」と爽やかさのかけらもない笑い声を上げた。

「いや、まあ、あのときは頭に血が上っとったでな。ちょっと脅かしたろうと思っただけだわ」

雷鳴が近くなり、曇りガラスの外が何度も怪しく光った。

「でも、荒さん、このまんまでおるつもりじゃないでしょ？」時山が言う。

荒は彼と目が合う寸前、それを避けるようにして視線を泳がせた。

「そりゃ、何かガツンとやったりたいのは山々だがな。俺はそういうタイプでもないし」

話が危険な方向へ向かおうとしている空気に気づいて、格好を取り繕うのはやめた。

坂井田の笑みが止んだ。

「タイプとかの問題じゃないて。何で俺らだけが有無も言わせず切られないかんかっちゅうことだわ。それもあんな罵られ方してよ。なめられたまんまでええんかっちゅうことだわ。やるときはやったらないかんわ」

「まあ、待ちいや」

荒は少しうろたえながら、とにかく坂井田の頭を冷やさねばと思った。

「調べてみな分からんけど、何の手当もなしにいきなり首を切るっていうのは法律違反だと思うわ。そういうことをかけ合って少しでも金を搾り取ったりゃええんじゃないか」

「しょうもない」時山が荒の意見を一言のもとに切って捨てた。「俺らがそう出たところで、やつは俺らが不正行為を働いたから、当然解雇したまでだと言うだけだ。いわゆる懲戒解雇だわ。そんな争いをして、よしんばはした金を受け取ったところで、もっと空しいだけだろ」

閃光が走って、すぐさま空が割れるような音が轟いた。雷がすぐ近くまでやってきている。

「だけど……」

「俺が気に食わんのはな、荒さん」時山は膝を寄せた。「基本的に気良は俺らのことを人間として見とらんいうことだわ。五年間働かせてな、ボーナスは今でも五万出ればいいほうだて。それで向こうは、俺が使ってやっとる、何を文句言っとる、気に入らんかったら辞めろいう態度だ。そういうもんじゃないだろ。人間として見とるなら、ボーナス少ないけど今回は我慢してくれとか、何か言いたいことがあったら、聞くだけでも聞いとくでとか、そういう言葉が一つでもあるのが普通だわな。俺があの会社に入ったときはまだ先代の社長が生きとったけどな、あの人はそういうことができとった。今の婿養子は態度だけは社長でも、そんな器じゃない。社員を人間扱いしんやつに何で社長が務まるかだ」

まったくその通りだと思った。あの社長からはねぎらいの言葉など一切聞かれない。

荒は今日、自分が味わった気持ちを思い出した。人を人として見ない者が相手では、自分が自分でないという感覚に陥ってしまうのも当然のことかもしれない。

こうして時山や坂井田と話していると、少なくとも人間として扱われていないという感覚はない。しかし、自分が下種な人間であるというレッテルは一度貼られた以上、容易には剝がせない。

自分の尊厳を取り戻したいと思うと荒は思う。

「俺はな、荒さん、労使関係を都合のいいように解釈して上下関係に結びつける考え方がすごく嫌なんだわ。俺の兄貴は岐大出て名古屋の大きな菓子パン会社に入った。だけどよ、労組で積極的に活動するようになったらな、あるとき仕事帰りに右翼の襲撃に遭って大怪我負わされたんだ。今でも思うように足が動かんし、仕事もできん。ああいう大きな会社は労組潰しいうて、右翼雇ってえげつないことやりよる。労働者を人間と思っとらん。世の中にはそういう卑怯な連中が多いんだ。気良も根本は同じだわな」

時山の話は雷鳴に乗って、荒の胸に突き刺さってきた。

「あの女も気に食わんわ。何か人を小馬鹿にした目で見てよ」

坂井田は気良佳代のほうも気に入らないらしい。今まで考えてもみなかったが、そう言われてみればそんなような気もしてきた。前借りを頼むときも実に嫌そうな顔をする。

何だか催眠術にでもかかったように、彼らの言葉の一つ一つが荒の心をストレートに揺さぶってくる。

「いったい、何がしたいんだ?」

「酒の酔いで恐怖心の一部が好奇心に変わろうとしていた。

「しかし……だからってどうする」

藪から出てくるのが蛇であることに気づいていながら、口のほうが止まらなかった。小さ

な蛇を出して安心したいという思いもあった。

「襲撃だて」

坂井田がコップをあおって言う。荒は思わず、その物々しい言葉の一番平和的な意味を考

えていた。

「事務所に乱入して、気良を殴ったるんか？」

荒の問いに、時山のほうが小さくかぶりを振った。

「そんな中途半端なことは意味ない。やるんならやる」

「やる？」

「家を襲う」

気良には二人の子供がいたはずだ。頭に浮かんだイメージの暗さに、荒は総毛立つ思いだ

った。

「赤穂浪士の吉良邸討ち入りと一緒だがや」

坂井田は自分を侍の姿と重ね合わせて、自己陶酔に浸っている。

気良の自宅は事務所の裏にある。ねずみ色の瓦を載せた二階建てで、豪華ではないがクリ

ーム色の外壁が清潔そうな見映えをしている。建てられてから十年とは経っていないはずだ。

事務所はもっと古いから、自宅のほうだけ建て直したのだろう。

「殺すんか？」

自分の口から出てきた言葉は幻のように現実感がなかった。

「社長はな。俺が殺るから荒さんは何も考えんでいい。一発くらい殴ってやればいいわ」

時山の厚い唇が動くのを見ながら、荒は味のなくなった酒をひたすら喉に流した。

「しかしなあ、社長の首を取ったところで、待っとるのは刑務所暮らしだぞ」

荒は声の震えを抑えて言う。

「ふん……」

時山は答える代わりに、ズボンのポケットからアーミーナイフをおもむろに取り出した。

先ほどから這いずり回っていた小さな蜘蛛を狙いすまして、畳に勢いよく突き立てる。

蜘蛛一匹殺すのに、なぜナイフがいる？　見え見えの威嚇だ。そう思いながらも荒の身体はガチガチに固まった。

「荒さん。あんた刑務所が怖くて、そのまま一生、無様な人間として暮らすのか？　結局、同じことだったろう。このままの生活をしてあんたに何があるんだ。人生変えたないか？　一度死んでみてよ、新しい人生始めたないか？　ばっきり言って、俺らのような人間が今までの人生を断ち切る場所はあそこしかないぞ。懲役五年から十五年として、実際おるのは三年か

ら十年だわ。それがどうしたと俺は思うぞ」

時山の言葉に坂井田が続く。

「ムショ暮らしがやめれんで、何度も盗みを働くやつもおるっちゅうでな。そんなに恐れるとこやないわ。この世の中、やられる側に回ったら、いつまでもやられとかとかいかん。真面目に生きとるやつが一番馬鹿を見るわ。社会の常識や学校の教えが何だっちゅうんや。そんなもん、いくらでも壊したるがや」

威勢のいい坂井田の声が切れると、再び重量感のある時山の声が取って代わった。

「荒さん、実は俺、中学のとき、人を殺したことがあるんだね。捕まらんかったけどな」

聞いてはいけないことを聞いたと思った。

「一つ上の石黒っていう先輩でよ。番気取りで毎週のように俺らから金を巻き上げるし、気に入らんやつは木刀で後ろから殴って倒すような無茶苦茶なやつだったわ。俺は威張るやつっていうのがその頃から無性に許せんかったからな、湯本っていう連れと一緒に夜中に呼び出して、手足縛って太田橋から木曾川に投げ落としてやった。各務原の川岸に打ち上げられて死体が見つかったけど、頭が真っ茶ッ茶のパンチパーマでもろツッパリ、少年課でも手を焼いとったやつだから、警察も捜査に本腰入れんかったわ。俺も葬式出たったけど、あっさりしたもんで家族も涙一つなかったわ。

俺はそいつ殺してな、何も後悔しとらんのだわ。今まで息苦しい地下室におったのが、晴れた空の下に出てきたったっていう気分だったな。動けば世界は変わる。動かんかったら何も変わらんと思ったわ。連れの湯本っていうのはそれまで頼りない男だったけど、石黒を殺ってからガラッと変わったぞ。何も怖いもんはないっていう男気のあるやつになった。今はアメリカに行って革ジャンの買いつけやっとる。生き生きしとるわ」

「俺らはもう腹括っとるからな」坂井田の眼もいつしか据わっていた。「あとはあんただけだで」

「俺⋯⋯？」

気づくと、選択肢はイエスしか残されていなかった。断ったところで、この二人は気良邸の襲撃を実行するだろう。その前か、あるいはそのあと、自分は臆病者と蔑まれた上で口封じのために殺される可能性が高い。

自分が下種なばかりでなく、臆病でもあるということは耐えがたいと荒は思った。確かに時山くらい達観すれば、自分の世界が大きく変わるような気がする。失った尊厳を取り戻せるような気がする。

酔っているのだろうか。

いや、違う。

「よし、やろまい」

自分ではないような自分が言った。

ほとんど真上で屋根が砕けたような雷鳴が響いた。まったく驚かなかった。その音が素直

に身体に受け入れられ、全身が熱くなった。

時山は坂井田に目配せして、「行くか」と腰を浮かせた。

「い、今から行くんか？」思わず訊き返す。

時山は何も言わず、ただ荒を見ただけだった。

「そうか……」

今から人を殺しに行くのか。

そう思いながら立ち上がる。酔いも手伝い、足に力が入らなかった。

不意に部屋がかっと明るくなった。閃光だ。次の瞬間、凄まじい音が鼓膜を突き抜けた。

「ひっ！」

荒はその衝撃によろめいて布団の上に尻餅をついた。同時に蛍光灯の明かりが消え、部屋

は一転して真っ暗闇に包まれた。

「何だあっ、停電だがやっ」

坂井田が腹立たしそうに声を尖らせた。

時山の舌打ちも聞こえた。

停電ではどうしようもない。懐中電灯も何もないので、気良邸に乗り込んでも動けまい。荒は正直ホッとした。時山と坂井田も、もしかしたら同様だったのかもしれないと思った。

雷鳴が遠ざかり、雨も弱くなって、停電してから一時間ほどして蛍光灯の明かりは灯った。

しかし、時山も坂井田も「行こう」とは言わなかった。暗闇の中、無言で過ごした一時間が三人の神経を鎮めてしまったのだ。特に坂井田は眼にあった険が消え、気だるさを表情に出していた。時山からは敵陣を前にして夜を明かす兵士のような変わらぬ緊張感が窺えたが、彼も坂井田の様子を見て自重したようだった。

「日を改めよう。やることは変わらん。それは決定だ。どうせならもっと計画を練ったほうがいいだろ」

時山はそう言い置いて傘を広げた。そして、雨粒さえ光らない闇の向こうへ消えていった。

翌日の日曜日、雷雨が去って涼しい夏が戻ってきた。もしかしたら前日の出来事など夢のように感じるのではないかと思っていた。が、現実はそんなに甘いものではなかった。解雇を言い渡されたときから夢の中にいるようなものだっ

たから、そのまた夢というのはあり得ないのだった。

借金や失業という問題が荒を取り巻く世界の七方をふさいでいる。　未来は気良邸の襲撃を通過する方向でしか開けていないのだ。

夜にはまた、時山と坂井田が荒の部屋を訪ねてきた。この夜はもう一人、見知らぬ少年が一緒だった。時山の友人の弟で、湯本弘和と名乗った。中学時代の時山が一緒に人を殺したという例の友人の弟だ。まだ十六歳だという。彼もまた、きれいにリーゼントをまとめ上げたツッパリだった。顔立ちは彫りの深い、締まった二枚目で、あどけなさが残っていた。そして放つ言葉は威勢がよく、坂井田のように暴力への好奇心を露わにしていた。坂井田と違っているのは、湯本のほうがおしゃれで洗練されているというあたりだった。

この夜は、凶器について計画が練られた。凶器というより、意味合いとしては武器に近かった。彼らの経験からして、不意打ちを食らわせるにしても、相手から思わぬ抵抗があって、下手をすればこちらが負傷してしまう可能性が十分にあるということだ。例えば椅子やまな板や包丁、ラジカセや置時計などを投げつけられるくらいは考えておかねばならない。そういう中で効果的に、確実に襲撃を成功させるには、いくつかの武器は必携らしい。荒としては包丁など持っていくつもりはなかったので了承した。荒自身はぎりぎりの選択として木刀を買うことに

時山が台所に置いてあった荒の包丁を借りたいと言ってきた。

した。

決行は翌日、月曜日の夜八時に決まった。

やるしかないという思いが強迫観念となって、荒の身体に一晩中しがみついていた。気づくと歯を食いしばっていた。これでは眠れるわけなどなかった。

昭和五十五年八月十八日、月曜日。おそらく荒にとって生涯忘れることのできない日になるだろうこの日は、今までの何千日と変わりなく静かに訪れた。ただ、人類最後の日を迎えるとすれば、こういう気分だろうと思った。前日に引き続き、暑さはまったく感じられない。気のせいだろうが、肌寒くさえ思えた。

日中、荒は車で岐阜の街まで出て、柳ヶ瀬商店街の雑貨屋で木刀を購入した。店主にジロジロと視線を向けられているような気がして、ろくに目も合わさずに早々と店を出た。それを車に入れると、束の間の自由な時間ができた。少しばかり贅沢をしたくなり、寿司屋に入ってちらしを食った。そのあと、散髪屋で横と後ろを短くそろえてもらった。〈ローンズ・マキ〉や〈田村〉には近づかなかった。

それから、パチンコ屋で一時間ほど玉を打った。パチンコは二十歳の頃に一度やったこと

があったが、改めてやってみると、まったく面白くなかった。入っても入らなくても、玉の

行方を見ているだけで苛々した。

本通りのアーケードを漫然と散策し、帰る前に喫茶店に入って宇治金時のかき氷を頼んだ。

子供の頃から一度食べたいと思いながら食べたことがなかったものだった。甘い小豆を食べ

ながら、実家の母親の声を聞いてみたくなっていた。今年六十歳になる母の声は、二年前に

聞いたきりだった。店の入口にあるピンク電話でどれだけかけようかと思ったが、結局やめ

た。今夜自分がする行為を思うと、母の声を生で聞くことなど耐えられそうになかった。何

を話してもすべて嘘になる。それはあまりにも母に申し訳ないと思った。

店を出て、車に戻った。伊奈波神社に寄って賽銭を投げていきたかったが、駐車場が空い

ていなかったのであきらめた。考えてみれば、祈ることなど何もなかった。

時山に、ガソリンを十リットル買ってきてくれと言われていた。スタンドに行く暇がない

ということだ。各務原のスタンドに寄ってポリタンクにガソリンを入れてもらった。

陽が傾き、夏の一日が終わろうとしていた。

各務原を過ぎ、右手に木曾川が見えて、荒は大きく重い息をついた。

2

「ヒロ。お前、車の運転はできるか？」

トキさんが大根で包丁の切れ具合を確かめながら言う。　荒の包丁だった。トキさんは手袋をして、さらに柄の部分には触れないようにしていた。

柄を上、刃を下にして、さらに刃先は前に向ける。峰に手のひらを当てて、柄を親指と人差し指でつまむ。そんな持ち方を練習している。振り回しにくそうだが、せっかく荒の指紋がついているのだから、それを消したくないのだろう。

「車ぐらい何でもないわ。兄貴ので遊んどるでよ」

湯本弘和が答えると、トキさんは睨むように顔を上げた。

「お前の兄貴のはトルコン（AT車を指す俗語）のクラウンだろ」

「いかんのか？　ミッション（MT車を指す俗語）も乗ったことくらいはあるぞ」

「逃げるときになって、エンストするなよ」

坂井田が異常なほどの大声で言う。トキさんが、「声がでかいわ」と低い声で一喝した。

坂井田はついさっきまでシンナーを吸っていたので、まだ恍惚状態の中にいるようだった。

そのシンナーの臭いが坂井田の部屋には充満していた。加えて、空気が腐っているような強烈な異臭がこの部屋には染みついている。この臭いだけで、湯本は坂井田という男に嫌悪感を持った。隣にある荒の部屋もくさかったが、ここに比べれば香しき楽園だ。

坂井田や荒がトキさんの仕事仲間とは信じられない。それほどトキさんは垢抜けている。ダブルのスーツやピカピカの革靴をいくつも持っているし、いらなくなった服は気前よく譲ってくれる。ロレックスや金のリングなど、身につけるものも大人の香りが漂っている。普段は前に垂らしている長い髪も、ひとたびオールバックに撫でつけると、仁侠映画に出てくる若き切れ者の役どころにぴったり当てはまる。女にもこと欠かない。それでいて傲慢な人間が嫌いだと言ってはばからないところにすごみを感じる。

美濃加茂界隈で不良グループに属している者なら、トキさんの名を知らない者はいない。昔の喧嘩の腕は伝説と化しているし、後輩の面倒見もいい。ほとんど名前が一人歩きしているくらいだ。

湯本にとっては兄貴と同じ九つ違いのこの男が、現在の兄貴代わりだった。アメリカに行っている実の兄貴は、ふらりと日本に帰ってきては一眼レフカメラなどを土産にくれたりするのだが、どうもふらふら過ぎて現実離れしたところがある。トキさんの堂に入った迫力というのは、兄貴にも真似できない。自分ならなおさらだ。

中学でも高校でも湯本はやりたいようにやってきたが、まだまだ子供の域を出ていなかった。喧嘩をするにしても、同級生との殴り合いではとことんまでというのは無理で、何となく消化不良のところがあった。遊びではなく本気の修羅場で自分を試してみたかった。

トキさんから、かつて彼が兄貴と一緒に人を殺していたという事実を聞き、湯本は彼の原点を知ったような気がして腑に落ちた。やはり、そういう一線を越えなければ、人間として の独特な手触りのようなものは出てこないのかもしれない。兄貴を羨ましく思ったし、改めてトキさんに憧れた。

「荒さんの車で行ったほうがいいな」

トキさんが長い沈黙を破って呟いた。

「ヒロ、俺らが襲撃しとる間、お前は運転席で待機しとれ。俺らが戻ってきたら、すぐ逃げるんだ。無免で警察に捕まっても馬鹿らしいから、一キロも走ったら、俺か荒さんが交代する。とりあえず落ち着くまで、お前に運転してほしいんだ」

「そんなの面白ないわ。俺にも行かしてくれ」

湯本がごねると、トキさんの眼が据わった。

「これは遊びじゃないぞ。荒さんには言っとらんけど、火を使うからな。大人数だと逆に危ない。逃げ遅れるやつだって出てくるかもしれん。それにな、ここまでやるからにはパクら

れるつもりでおらないかん。お前に度胸をつけさせたりたいのは山々だけど、お前を年少に入れさせたりしたら兄貴に申し訳が立たんのだわ。運転手で我慢してくれ」

トキさんは少し神経質になっているように見えた。それでも、湯本は構わずふて腐れた。

せっかく闘争本能が煮えたぎっているのに、これでは蛇の生殺しだと思った。

「子供は足手まといになるだけだわ」坂井田が汚い笑みを浮かべて言い放った。

「何だ、こらあっ？　やるんか、こらあっ？」

湯本は坂井田を睨みつけた。持ってきたサバイバルナイフを抜いて立ち上がる。

「来いや、ガキんちょ」

坂井田も立ち上がり、錆びついた鉈（なた）を握って応戦の構えを取った。

「やめんか、馬鹿野郎！」

トキさんが押し殺した声で二人を制した。シャツの裾（すそ）を引っ張り、無理やり座らせる。坂井田は耳障りなくらい喉を鳴らしながら、湯本を睨み続けていた。

湯本は自分で抑え切れないほど、気持ちがささくれ始めていた。このままいつでも人が殺せると思った。

「締めるとこは締めていこうや」

トキさんが眼を見開いて二人を交互に見る。それでやっと、坂井田が視線を逸らした。

湯本のナイフはトキさんに没収されてしまった。

「熱くなるのもいいけどな、愚かな人間にはなるな」

「荒さんのようにっすか?」坂井田がニヤッと笑った。

「そうだ。ヒロもよく聞いとけ。何度でも言うぞ」

「荒が主犯だってことだろ?」

「荒さんと言え。そういうところから綻びが出る。俺らはいつパクられるか分からん。パクられたらもう、口裏を合わせるのは不可能だ。取り調べももちろんバラバラにやる。そうなったとき、どうするかだ」

ポイントだけ押さえておけと、トキさんはしつこく繰り返した。よほど坂井田という男は馬鹿なのだろう。

「計画を持ち出したのは荒さんだ。ガソリンを用意したのも荒さんの意思だ。包丁を使ったのも荒さん。火をつけたのも荒さん。俺たちは荒さんの口車に乗せられ、魔が差したんだ。初めは食事も取れず、夜もなかなか寝つけん。事の重大さに気づき、全面的に反省するんだ。ひたすら謝るのもいい」

取り調べ中、不意に泣き出して、ひたすら謝るのもいい」

昨日、荒という男に会ったときは、トキさんも年上というだけでずいぶん頼りない男を仲間にしたもんだと思ったが、なるほど使い道というものはあるものだ。湯本は感心しきりだ

った。

「ヒロ、荒さんが帰ってきたら、ガソリンを漏斗でビール瓶に移してくれ」

ビール瓶は今日、酒屋の裏から持ってきた。

「残りは荒さんの部屋に置かせてもらう。俺の車は調子が悪いってことにすりゃいい」

車の音がしてエンジンが止まった。次いで、隣のドアが音を立てた。荒が帰ってきたようだ。

「ヒロ」トキさんが呼ぶ。「終わったら、名古屋に連れてったる。栄のクラブで働いとる女のマンションに放り込んだるわ。いい女でな、何でも言うこと聞くぞ。マンションもいいとこ住んどる。明日一杯、そこにおれや」

「あ、ああ、分かった」

湯本は覚えず強烈な色情が湧き上がってきて、胸が高鳴った。

そう言えばと、昨日から気にかかっていることを思い出す。トキさんたちが恨みを持っている気良という社長には興味がなかったが、その名前には聞き憶えがあった。湯本は小、中学校と何度も転校を繰り返している。そして、小学校五、六年のときに通った学校の隣のクラスに気良希代子という女がいた。

話したことはなかったが、児童会の書記をやっていて目立つ女だった。遠巻きに見ながら子供心に妙な色気を感じたほど美人で足がきれいな女でもあった。

校区からしてみても、もしかしたらその家ではないかという気もする。

だからどうしたという話だ。優等生が育つような円満な家庭ほど気に食わないものもない。

遠慮なくぶっ壊してやるだけのことだ。

「サカも終わったら、どっか女のとこへ入れたる。どうせ今日は寝れんだろうで、飽きるまで楽しめや」

トキさんが言うと、坂井田がシンナーくさい息を吐いて頬を緩めた。

外に出る。

時計は六時を過ぎて、夏の終わりさえ感じさせるような涼しげな風が吹いていた。空は曇っている。

暗い空を無数のこうもりが嬉々として飛び回っていた。

8月18日　くもり

3

今日は午前中、テレビで甲子園の美濃加茂高の試合をおうえんした。相手は強い箕島（みのしま）で、美濃加茂はよくがんばったけど、ついに負けてしまった。お姉ちゃんは「ミスするで勝てんわ」とくやしがっていた。

午後はプール日で学校に行った。ちょっとさむかったけど、1キロくらいおよいでつかれた。

夕方、お母さんがたん生日のケーキを買ってきてくれた。お母さんは「十二才になったんだから、もっと家の仕事を手伝わないかんよ」と言った。だからぼくは明日からばんごはんのあとかたづけを手伝いたいと思う。でも、今日はたん生日なので手伝いません。

よし書けた。

気良征彦（まさひこ）は満足して鉛筆を置いた。誕生日プレゼントのことを書いてもよかったが、欄が埋まってしまった。たぶんプラモデルだろう。明日書くことがなければ、明日のネタにすればいい。

小学校最後の夏休みもいよいよ残りが見えてきた。毎年、自分の誕生日が過ぎると、夏休みの残り少なさを感じる。ただ今年はこれまでの教訓を生かして、かなりの宿題を片づけているところが違う。

もともと図工は得意だし好きなので、「夏の思い出の絵」や課題工作は苦もなく仕上げてしまっている。自由研究も工作と決めていて、今年は三十センチくらいの猫の木彫り細工を作った。我ながら見とれてしまう出来映えで、お母さんは玄関に飾るから学校で壊さないようにねと言ってくれた。去年は市民祭りの美術展に出品されたので、今年ももしかしたらと思っている。

苦手なのは読書感想文だとか日誌、漢字練習や算数ドリルだ。日誌はかなり埋めたので、夏休みが終わるまでには何とかなると思う。感想文はどうにもやる気が起きない。感想なんて「面白い」か「つまらない」かで十分なのに、誰々はすごく勇気があると思ったとか、誰々は嫌な人間だと思ったけど、最後に主人公を助けたので、びっくりして見直したなどと、思ってもいないことを無理やり書かなければならないのが苦痛なのだ。

二階の勉強部屋から、一階の居間に降りる。居間と台所は仕切りが取り払われているので、一つの部屋のようになっている。

台所ではお母さんが夕食を作っていた。お姉ちゃんは食卓の自分の席で〈明星〉を広げて見ている。お父さんもネクタイを締めた作業服のまま、すでに食卓に着いて、仕事の書類と睨めっこしていた。

「もう今日の宿題、終わったあ」

征彦が言うと、お母さんがちらっと振り向いた。

「あんた、さっき二階に上がってってったばっかなのに、もう済んだの？」

「うん、今日は頭が冴えとった」

「ほんなら、私の宿題もやって」

「お姉ちゃんが小指を鼻の穴にこじ入れながら言う。あれで誰かからラブレターをもらったというのだから、たぶん学校では見せない姿である。あれで誰かからラブレターをもらったというのだから、詐欺である。もっとも現物を見せてくれないので、嘘の可能性は高い。

「高校生の宿題なら百万円もらわなかん」

「間違わんと完璧にやってくれりゃ、払うよ」

「嘘ばっか。持っとれへんもん」

そう言って、征彦は居間に逃げた。

まだ七時前で、テレビではニュースをやっていた。喪服を着た大勢の人が外に集まり、お坊さんがお経を上げている。征彦はすぐに飛騨川事故のニュースだと分かった。

征彦の家は飛騨川が木曾川と合流する少し手前あたりに建っている。だから、小さい頃から川は当たり前の風景だ。木曾川は恵那に向かって東のほうへ、飛騨川は下呂に向かって北のほうへ伸びている。飛騨川沿いには国道四十一号線が走っていて、車で下呂温泉や高山に

遊びに行くときは、ここを通る。

四十一号線を征彦の家から二十分も走ると、飛騨川の両側を山に挟まれた谷あいの道になる。川は広く深く、エメラルドグリーンの水がゆったりと流れていて、川岸はごつごつとした厚い岩場である。遊び場にできるようなところではなく、橋から眺めるのが関の山だ。お化けみたいな大きなアマゴが棲んでいるそうである。飛水峡というところだ。

その飛水峡の中ほど、四十一号線の左脇に、「天心白菊の塔」は建っている。十二年前、昭和四十三年の八月十八日、その塔の近くで集中豪雨に立ち往生していた二台の観光バスが、山側から落下してきた土石流をまともに受け、飛騨川へと転落してしまった。百四人の人たちが命を落としたらしい。

事故のあった頃、征彦のお母さんは美濃加茂市の産婦人科医院に入っていた。そして何時間後かに征彦は生まれてきたのだ。征彦は十二歳になったのだが、事故の犠牲者は十三回忌だそうである。どうしてそうなるのかは征彦にもよく分からない。

飛騨川の事故ではバスの乗客の中で、一人だけが奇跡的に助かったのだという。その当時は中学生だった男の人で、木の蔓に偶然摑まることができたのだとか。生死の境目とは、考えるほど不思議なものである。

けれど、もし自分が同じような目に遭っても、その中学生のように助かる自信はある。人

類が滅亡しても自分だけは助かるような気がする。征彦はときどきそんなことを空想してみることもある。

お母さんが和室の仏壇にお仏飯を供えて手を合わせた。誕生日ケーキもそこに供えてある。

お母さんは立ち上がって、征彦に目を向けた。

「ご飯よ」

征彦はテレビのボリュームを上げて食卓に着いた。征彦の席はテレビから一番近いところに決まっている。

テーブルにはハンバーグにウインナーとキャベツの炒め物、冷奴にじゃがいもの煮っ転がしと、征彦にとっては当たりのおかずが並んでいた。

「頂きまーす」

お姉ちゃんが妙に気持ちの悪い笑顔を浮かべて征彦を見ている。

「何ぃ?」

「何でも」

「あ、これ何ぃ?」

征彦はお姉ちゃんの肘の下に隠れている、包装紙に包まれた小さな箱を見つけた。

「え? 何でもないって」

お姉ちゃんはニカニカと笑って包みを隠した。

「隠さんでいいやんか」

征彦が手を伸ばすのに、お姉ちゃんは身をよじってかわす。

今までもらったことはないが、誕生日プレゼントではないかと征彦は直感した。やはり高校生ともなればやることも違う。

「あとで、あとで」

お姉ちゃんはそう言っていたが、お母さんが取りなした。

「見つかっちゃったんだから、もう渡してあげや。お父さんとお母さんのやつはケーキを食べるときに出すんだから」

「しょうがないなあ。はい」

そう言いつつも、お姉ちゃんは包みを振って征彦に渡そうとしなかった。「ありがと」と言うと、やっとのことで渡してくれた。

箸を置いて、包みを開ける。

「おお」

彫刻刀だった。五本組みのやつは持っているが、これは十本入っている。本格的なセットだ。

「へえ。ありがと」

照れ隠しで声を抑えたが、かなり嬉しかった。すぐにでも試し彫りしてみたかった。

四年生のとき、将来の夢で「彫刻家になりたい」と言ってからというもの、お姉ちゃんは征彦が彫刻家になるものとばかり思っているようだ。もちろんなれるに越したことはないが、そんなに簡単ではないことも征彦は知っている。

「早く食べてお風呂に入りなさい」

お母さんがお父さんの様子を気にしながら言う。お父さんは黙りこくったまま、書類に目を通している。箸はあまり動いていないようだ。

「お風呂は時間かからんもん」

「お湯を入れてあるんだで、ちゃんと浸からんといかんよ」

夏といっても今年は暑くないので、お湯を張る日が多い。征彦はどうでもいいのだが、お父さんはお湯に入らないと疲れが取れないのだそうだ。

風呂に入る順番は、たいていお姉ちゃんが一番で征彦が二番、それからお父さん、最後にお母さんが入る。お姉ちゃんが以前、お父さんが先に入るとお湯が汚れると言い出したことがあった。お父さんはひどく怒ってお姉ちゃんを叱りつけたが、それ以来、お父さんがお姉ちゃんより先に入ることはなくなった。

「お父さん、もう明日にしたら」

お母さんが心配そうに言うのに、お父さんは「うーん」と生返事をした。機嫌のいいときはキャッチボールの相手にもなってくれるが、あまり冗談などは言ってくれない。特にここ最近は仕事のことばかり考えているようである。

「飯塚と有田の使っとる車が二台とも十五万キロ超えたな。そろそろ買い換えんといかん。頭痛いな」

「卸し先も減ってきとるしね。徐々に新しいとこも開拓しんと」お母さんが話を受ける。

「名古屋のほうは厳しいな。市場から他県の安い鮎とかいくらでも入ってくるからな。逆に飛騨のほうが可能性としてはあるかもしれん。職漁師も今はほとんどおらんのだろ。川魚食わせる宿屋なんか、安定して魚を仕入れたいだろうしな。うちと契約しとるとこはみんないい魚育てとるんだ。田辺さんとことか遠山さんとことか、ほとんど天然と変わらん。少々高くても絶対勝負できる。活魚で納入できるのを生かせば、一流クラスの宿屋や料理屋だっていけると思うんだ」

「そうよね」

「今度、三人切っただろ。あれ、補充は二人にしとこうと思っとる。内職やっとったくらいだ。ルートは振り分ければカバーできるだろう。新人が慣れるまでは俺が出てってってもいいわ。

軌道に乗ったら俺は新規開拓のほうに回ってみるわ」

「あの三人、どうしとるかねえ。ちょっと気の毒やな」

「若いでどうにでもなるだろ。あれで残った連中も目が覚めたと思うぞ。まあ、いくら全員やっとったからって、妻子持ちまで簡単に切るわけにもいかん。有田なんか三人も大きな子供抱えとるんだから、心入れ替えてやってくれりゃいいんだ」

「でもねえ。あの三人、もうちょっと優しく言って、理解してもらえばよかったなって……」

あれ、解雇のお金も出さなかったでしょ」

「車の修理代ももらっとらんのに何でそんなことしないといかん。そこまでお人よしになって気を遣っても、あいつらのためにはならんわ。こういうのはいっそ、相手を怒らすくらいのほうがいいんだ。向こうも辞めてせいせいするだろ。次のところで一生懸命働いて気良を見返したるくらい思うでよ。それでいいんだわ……」

「そう思ってくれればいいんだけどねえ」

「お義父さんは確かに親分肌で人望があったかもしれんけど、いつまでもええわええわわではこれから通用しんでな。俺らもまだまだ希代子や征彦を育てていかなかん。それが一番大事だ。甘い考えは捨てないかんのだ」

何か仕事がうまくいってないようだ。ここ最近、こういう話が多い。二人ともため息を

つきながら話している。聞いていても面白くないので、征彦はご飯を食べ終えて居間に戻った。テレビではちょうど「ルパン三世」が始まっていた。

「またルパン？　さっきもやっとったやん」お姉ちゃんが言う。

「さっきのは再放送だわ」

「ねえ、ルパーン？」お姉ちゃんが色気たっぷりに峰不二子の物真似をした。「どう？　似とるでしょ」

「似とる、似とる。もう一回やって」

征彦は喜んではやし立てたが、お姉ちゃんは舌を出した。

「一回十円でやったる」

「けち。いいもん。自分でやるで」

征彦は首筋に妙な力を込めて声色を作った。

「ふーじこちゃーん」

「ハハハ。あんた、声優になれるわ」

あんまり出来はよくなかったが、お姉ちゃんは笑って褒めてくれた。

「どうでもいいけど、そんなら先にお風呂入るでね」

調子に乗ってルパンの真似を続ける征彦に言って、お姉ちゃんは居間から出ていった。

ルパン三世は征彦にとって欠かせないテレビ番組の一つである。この時間に風呂に入ることなど考えられない。学校の友達とも、ルパンの話で盛り上がる。

このアニメが好きになってから、学校の図書室にあるアルセーヌ・ルパンの本も読もうになった。次元や五右衛門らが出てくるアニメも好きだが、話の面白さは元祖のほうが上かもしれない。図書室から借りてくると、下校中に歩きながら読むこともある。まるで二宮金次郎だ。

「8・1・3の謎」や「虎の牙」など、面白いのはいくつもあるけれど、一番夢中になって読んだのは『怪盗対名探偵』だった。ルパンとホームズが対決する話で、征彦はルパンを応援しながら読んだ。ルパンは足も速いし、柔道もできるし、人殺しを絶対にしない。そこが格好いい。あの本の感想文ならいくらでも書けてしまいそうだ。学校が始まったら早速図書室に行くつもりである。

ルパン三世が終わって満足すると、征彦は勉強部屋に戻った。お姉ちゃんからもらった彫刻刀を出し、その中の一番細いやつを版画用の板に当ててみた。するするっと彫刻刀が滑り、びっくりするくらい細い溝ができた。ペンで絵を描くように線が彫れていく。何本も何本も得意になって引いていると、部屋のふすまが開いた。

「お風呂いいよ」

お姉ちゃんがバスタオルで髪の毛を拭きながら言う。征彦が彫刻刀を使っているのを見て、ちょっと嬉しそうな顔をした。

「いいでしょう。高いんだよ、それ」

「ふーん」

征彦は少し照れて、彫刻刀を箱の中に仕舞った。着替えを持って、風呂場へ行く。

「お風呂から上がったらケーキ切ろうね」

お母さんがビールを冷蔵庫から出しながら、征彦に声をかけた。

「うん」

征彦はうきうきして風呂場に入った。

頭と顔を洗い、タオルに石鹸をたっぷりこすりつけて、身体を大雑把に洗った。

「おーい、銭形のとっつぁーん」

ルパン三世の声真似が風呂場に反響する。何度も言っているうちに、なかなかうまくなったような気がした。お姉ちゃんに聞かせてやろうと思った。

「チャラララー、チャラララー……」

テーマ曲を口ずさみながら、バスタブにドボンとしゃがんだ。

お湯が音を立てながら波立ち、やがて静かになった。

征彦は歌を口ずさむのをやめた。

風呂場の外が何だか騒がしかった。

悲鳴が聞こえた気がした。

4

湯本弘和は荒の運転するファミリアの助手席に座り、否応なしに高まる緊張感をどうにか抑えていた。

車は国道に面した砂利の広場に入って停まった。目の前には木に囲まれた小さな小屋のような事務所があり、さらにその奥に二階建ての家がある。事務所は真っ暗だが、家のほうはいくつかの窓から明かりが洩れていた。家族は社長夫婦に子供が二人だという。

この家の右隣は自動車修理工場で、もう一人の気配はない。左は畑を挟んで農家がある。火の手が上がれば、異変には気づくだろう。裏は畑か林か。民家の明かりは見えない。

時間は八時に十分ほど足らなかった。

「車は道のほうへ向けとけ」

トキさんの言葉で、荒が車を切り返した。国道はスピードを上げた車が数台の列をなして走り抜けていく。一つの波が去るとしばらく静寂が訪れ、また新たな波がやってくる。その繰り返しだ。逃げるときは少しでも出やすいように、左に曲がるように決まっている。

荒がエンジンを切った。

この荒という男がまた、湯本にとっては理解不能だった。ガソリンを入れたビール瓶のケースを湯本がトランクに詰めようとしたとき、彼はなぜそんなものを持っていくのかと不安げに訊いてきた。隠していてもいずれは分かるので、気良の家に火をつけるのだと言うと、荒の顔はたちまち青くなった。ごね始めて、らちがあかなくなってしまった。

「おめえが言い出したことだろうが！」

そう言ってトキさんが殴りつけたことで、ようやく荒は大人しくなった。だが、その腹の括り方がいささか異常に思えた。眼が血走って潤んでいるし、何やらブツブツ言っている。耳をそばだてて聞くと、「荒勝明、荒勝明……」と自分の名前をずっと繰り返しているので、湯本は少なからずぞっとした。

ともかく、車が気良の家の前に着いたときには、誰もが殺気立っていた。坂井田という狂

犬のような男も、まるっきり見かけ倒しではないように思えてきた。急速に集中力を増した
ように眼光が鋭くなっている。もしかしたらこの男は首尾よく大仕事をこなし、笑顔の一つ
でも浮かべて車に戻ってくるのかもしれない。

坂井田の自慢話を聞きながら逃げるのか。それは気に食わない。

「ヒロ、瓶ケースをそこの事務所の脇まで運んでくれ」

トキさんに言われて湯本は車を降りた。ほかの三人も次々と降りる。国道に街灯があるの
で、真っ暗闇ということはない。湯本は軍手をはめた手でトランクを開け、十本のビール瓶
が入ったケースを十五メートルほど運んで、事務所の脇に降ろした。それぞれに八分目くら
いガソリンが入れてある。蓋をしていないので、すぐにあたりがガソリンくさくなってきた。

「庭のほうが網戸のまま開いとるわ」

いつの間にか偵察に行っていた坂井田が戻ってきて言う。

「よし」

トキさんが静かに気合いを入れ、荒から受け取った車のキーを湯本に渡した。

「間違っても車はロックしとくなよ」

坂井田に言われて、湯本は苛ついた。睨みつけてみたが、構っていられないとばかりに目
を逸らされた。

「行くぞ」

トキさんが包丁を練習した通りに右手で持ち、左手でビール瓶を二本、口のあたりを握った。

坂井田と荒もそれぞれ右手に鉈や木刀、左手にビール瓶を二本持つ。

日常的な世界はどこかに消えてしまっていた。この昂揚感（こうよう）は喧嘩の比ではない。戦争だ。

何もするなと言うなら、せめてこの成りゆきを写真に撮りたいものだと思った。兄貴がくれた一眼レフカメラがこの手にあったなら、さぞかし魂を揺さぶる写真が撮れるだろう。現実には無理と知りつつも、惜しい機会を逃したという気になる。

本当に惜しい機会だ。

殺しも駄目、カメラもないとしたら、見るくらいはいいんじゃないか。いや、ぜひ見るべきだ。

息が止まるような静寂が数秒続いた。

トキさんが三人に視線を回した。そしてついに自ら先陣を切って駆け出した。

坂井田があとに続く。

荒も行く。「荒勝明、荒勝明……」と、呪文の声が大きくなった。

裏庭のほうへ消えていった。

とうとう殺しに行きやがった。

湯本は身体がかっと熱くなった。車のキーをポケットに入れ、何かに衝き動かされるよう

にビール瓶を持った。

武器は？

目についた花壇の枠石を摑んだ。ちょうど片手に鷲摑みできるほどの大きさで、ずしりと

した何とも言えぬ感触があった。暴力的な本能がかき立てられた。

三人を追いかけて走る。玄関から裏庭へ回る。庭石につまずいて転びそうになる。何とか

足を動かして体勢を戻した。三人の姿はもうない。

家の中から女の叫び声が上がった。たった今、開け放たれたと思われるテラスの窓から、

レースのカーテンをくぐって中に入った。そこは居間だった。

「荒勝明！　荒勝明！」

荒がヒステリックに叫びながら中年の女に木刀を打ちつけていた。それを押しのけて坂井

田が女の首に鉈を振り下ろした。

「死ね！　この野郎！」

女は悲鳴を上げて腰から崩れ落ち、首から激しく血をほとばしらせた。

あいつ、殺しやがった。

湯本は脳みそがかき混ぜられたように、何が何だか分からなくなった。興奮と麻痺が一度にやってきた。二人はくずおれた女になおも凶刃を浴びせている。

湯本はそこから目を移した。トキさんは気良を追ったのか、姿が見えない。

居間の向こうに人影が見えた。悲鳴を上げて消えた。女だ。

湯本は居間を抜けて追った。階段を悲鳴が上がっていく。

気良希代子か。

階段の上に白い足とミニスカートが一瞬見えた。

ビール瓶を階段の下に置き、湯本は階段を駆け上がった。駆け上がりながら、身体の芯から欲情していた。女の逃げ込んだ部屋に入る。

明かりはついていた。女は窓を開けてそこから外に逃げようとしていた。Tシャツとスカート一枚で、身体はほとんど大人だった。

やはり気良希代子だ。悲鳴を上げて錯乱する横顔に面影を見て、湯本は確信した。持っていた石を投げつけると、彼女の腰に命中した。

「痛いっ！」

腰を押さえてうずくまる彼女のTシャツを摑んで引きずり倒す。

犯してやると思った。どうせ焼き殺すのなら犯したって構わない。這いずって逃げようと

喘ぐように動いていた。

する希代子の背後からスカートをたくし上げ、下着を膝まで引っ張った。白く小ぶりな尻が

湯本は希代子の足に乗っかりながら、自分のベルトを外した。ジーパンのボタンも外す

……が、ボタンが硬く、軍手では思うように外れなかった。仕方なくボタンをかけたままジ

ッパーだけ下ろし、指をこじ入れて、欲情し切ったものを出した。

そこでまた、希代子の暴れ方がひどくなった。

「お父さんっ！　お父さんっ！」

そう叫びながら身体をねじる。どこにそんな力があるのかという必死な抵抗で湯本は振り

落とされそうになった。話に聞くのとは違い、かなりてこずりそうだと思った。

「てめえ、大人しくしろっ！」

湯本は希代子の長い髪を鷲掴みにした……つもりが、それより早く、彼女の手に取られた

目覚し時計が湯本のこめかみに当たっていた。

一瞬、目の前が暗くなって、力が抜けた。尻餅をつく。同時に彼女の身体が湯本の懐（ふところ）から

逃げた。

「この野郎！」

いきり立って立ち上がったが、今度は間に合わなかった。身を投げ出すように窓の外へ飛

び出た希代子は、悲鳴を上げながら屋根を転がり、下へ落ちていった。悲鳴が止まったので、いい落ち方はしなかったように思えた。

腹立ち紛れに、石を窓から投げ捨てた。

「ヒロ！　何しとる！」

部屋の入口にトキさんが立っていた。

「早く外に出ろ！　二階はもう火ぃつけるぞ！」

そう言って、トキさんは畳にビール瓶を投げた。

「気良は？」

ジッパーを閉めながら湯本は訊いた。

「まだ捉まらん。意外に部屋が多い」

言いながら、トキさんがマッチをすった。放り投げ、たちまち畳の部屋の中央に炎が立った。

気良がまだなら外に出る気はなかった。

「とどめはトキさんに刺させたるわ」

「馬鹿！　逃げろっ！」

トキさんの声を振り切って、湯本は階段を降りた。ビール瓶を取り、廊下を回りながら獲

物の息遣いを探した。

奥にこまごまとした猥雑(わいざつ)な場所を見つけた。洗面所だ。そしてその横に明かりが灯っている。風呂場だろう。

そう見当をつけながら、湯本は曇りガラスのサッシを開けた。もうもうとした湯煙の中、湯船に誰かが浸かっていた。言葉をなくしたように、ただこちらを見ている。男の子だった。

「クソガキがっ!」

湯本はお湯から突き出ている小さな頭にガソリンを注いだ。

「な、何これ……」

子供が怯え切った声で言う。それに構わず湯本はマッチをすった。湯船に投げ入れる。

「うわああっ!」

子供の顔が炎の中で歪んだ。顔を手で覆いながらもがく。

「熱いよ、熱いよっ!」

火をよけるためにお湯の中に潜るが、息ができなくなってすぐに顔を上げる。そこはまた火炎地獄だ。どちらにしても息はできない。

思ったより凄まじい光景となった。離れていても熱い。

そのまま風呂場の入口で子供が焼ける様子に見入っていると、不意に後ろから言葉になら

ない怒声が上がった。振り向く間もなく、ものすごい力で服を引っ張られ、背中から転倒した。

　その湯本の身体を、背中が火だるまになった男がまたいだ。風呂場へ駆け込みながら燃えさかる上着を脱ぐ。それが湯本の足元に捨てられたので、湯本は慌ててバスマットをかぶせ、火を消した。風呂場に入った男は、まだ襟足に火がついていた。その火が見る見る間にシャツを着た背中に広がっていく。それに構わず、男は蛇口を捻った。勢いよく噴き出したシャワーの水を炎に包まれた子供にかけ始めた。

　子供は泣き続けていた。男は苦悶の声を上げているだけで何も言わない。何も言えないのが当然で、この状態で彼が子供を助けようとしているのが信じられなかった。

　こいつが気良か。

　子供はガソリンを浴びているので、なかなか火が消えない。だが、気良は自分に限界がきたと思ったのか、子供の顔から火が消えた時点で風呂場の小さな窓を開け、まだところどころ引火している子供の身体を持ち上げて窓から外に出した。水を吐き出し続けているシャワーのホースも、その窓から外に投げ出した。

　それだけやって、やっと気良は自分のシャツを脱ぎ始めた。しかし、身体にくっついてしまったのか、脱げないようだった。火は背中をおおかた焼き、ズボンにまで移っている。

気良の動きが緩慢になった。膝をつき、バスタブの縁にもたれる。急速に生命力が弱まっていくのが分かった。人間の死ぬ瞬間だと思った。

「煙を吸ったらいかんぞ」

湯本の横にトキさんが立っていた。手には包丁が例の握り方で握られている。トキさんは口をハンカチで覆いながら風呂場に入っていった。手のひらで押して気良の腹に包丁を刺し込んだ。トキさんは気良の脇に屈むと、柄尻を手のひらで押して気良の腹に包丁を刺したり抜いたりしている。あまりにも冷徹な仕業だった。角度を変え、火をよけながら、じっくりと確かめるように刺したり抜いたりしている。

気良の全身が小刻みに震えていた。タイルに血が止めどなく流れ落ちる。排水口へ流れていく。

トキさんは立ち上がると、動かなくなった気良を一瞥して風呂場を出た。

「終わりだ。行くぞ」

「あ、ああ……」

トキさんに肩を押されて、湯本は廊下を抜け、居間を抜け、この戦場を出た。二階は赤々と火柱が立っている。トキさんが最後に、居間に火をつけて外に出た。

炎が湯本たちの顔を照らしつけた。

荒は抜け殻のような顔をして、肩で息をしていた。

坂井田は「ヘッヘ……ヘッヘ……」と、頰が勝手に痙攣（けいれん）するような笑いを浮かべていた。

この表情も尋常とは思えなかった。

「ヒロ、大丈夫か？」

トキさんが訊く。どうやら湯本も普通ではないようだった。しかし、自分がどんな表情なのかは分からなかった。

「俺が運転する。行くぞ」

トキさんだけが平常だった。彼は湯本から車のキーを受け取ると、生垣に血のたっぷりついた包丁を投げ捨てて歩き始めた。

第二章　流される女

1

拝啓　新緑の候、暖かい風が心地よい季節となりましたね。

勝明。事件から十四年、今になって突然こんな手紙を出して、勝明は驚くかもしれません。

この十四年、私のほうにもいろんなことがありました。勝明の刑が確定して間もなく実家を売り払って引っ越し、女房とも別れました。子供は女房が引き取っていき、私は母さんと二人で新しい生活をしています。家は公団アパートを運良く借りられました。部屋は二間だけと狭くなりましたが、慣れれば苦にならないものです。

母さんはこの頃、めっきり足腰が弱くなりました。毎日、近くのスーパーまでゆっくりと歩き、床に臥せているようなことはなくなりました。私はこちらに越してから、近くの建設会社に雇ってもらうことができました。細々と暮らしています。

そんな生活の中で、新しい人との出会いもありました。今日手紙を書いた理由の一つもそ

れです。　先日、我が家を訪れた方は、山田裕二さんという四十近い人で、名古屋大学で犯罪社会学の講師をするかたわら、犯罪加害者の人権擁護と社会復帰を手助けするボランティア活動を進めているということでした。受刑者の人々が刑を終えたとき、住まいを探したり、仕事を探したりするお手伝いをしているらしいです。紳士的で明るい人です。

美濃加茂の事件のことは、彼の記憶に強く残っているそうです。当時、彼には被害者の女の子と同じ年頃の妹さんがおり、事件の際、被害者の女の子が半身不随になったことに心を痛めたということです。

ただ、山田さんはその一方で、加害者の生い立ちや境遇にも目を向けなければ、社会のよき理想への前進にはつながらないという思いも抱いていたということです。

彼にもそう思うに至るきっかけがあったようですが、それはここでは記さずにおきましょう。彼はもともと、将来は弁護士になりたいと思っていたらしいです。あの事件当時はちょうど司法試験に挑戦していた頃だったようです。しかし試験のレベルの高さに、元来勉強嫌いな自分の力では太刀打ちできず、恥ずかしながら夢を断念せざるを得なかった次第だという話でした。

あれから十余年が経ち、おそらく無の心で刑務所での生活を送っているであろう勝明にこんな手紙を出すのは心を乱すことになるかもしれません。ただ、勝明にどんなことでもいい、

話したい言葉があるなら、こちらは聞く用意があるということを伝えるために、今回はこの手紙を書きました。そういう勇気を山田さんにもらいました。

最後に現在の住所を記しておきます。まだ朝晩は冷え込みます。身体を大切に。

敬具

平成六年四月十二日

荒勝明様
荒知良拝（ともよし）
愛知県額田郡幸田町（ぬかた）（こうた）
＊＊

拝復　そぼ降る雨の続く季節となりました。

先日は手紙、一字一句丁寧に書いてくれてありがとう。元気で勝明が暮らしていることの嬉しさを噛み締めました。ところどころ墨で消された部分も含めて、その言葉、その行間を厳粛な思いで拝読しました。

私は勝明に対して無責任な同情をひけらかすつもりはありません。そんなことをしても、誰のためにもならないからです。しかし、私は勝明の心情の吐露を受け止め、その結果、涙

が流れてくるのを抑えることができませんでした。人生という長い旅路にできる綾の無情さ。そしてそれに翻弄される人間という生き物の小ささ。勝明の文章にしたためられた勝明の人生は私の人生でもあり、この世に生きる誰もの人生であると思いました。

勝明の部屋から星空は見えるでしょうか。私はときどき、晴れた夜に星を見上げます。

我々の見る星は何万光年も離れた宇宙にあり、その宇宙は今なお広がり続けています。それを思うと私は自分の小ささを実感します。そしてそれは私だけでなく、億万長者も、大臣も、大統領も、そして犯罪服役囚も何ら変わらず一緒だと思うのです。その小ささの中で我々は精一杯生きる。等しく素晴らしいことだと思います。

勝明が過ちを悔やむ気持ち、被害者に深謝したいと思う気持ちは、私などが想像するよりはるかに強いものであることが分かりました。同時に、その思いこそが今の勝明を生かす糧になっていることに私は胸を打たれます。

私は近いうちに被害者である気良さんのお墓を探して、勝明の代わりに手を合わせてこようかと思っています。せんえつですが、私にできることはそれくらいです。

先ほど星の話をしましたが、朝の来ない夜はありません。無期懲役刑も必ず朝の来る刑罰です。勝明と同じ過ちを犯した彼らはすでに社会復帰している頃かもしれません。勝明にもいずれ朝日が昇ってくると信じて、一日一日を迎えてください。この私の言葉は支援者であ

る山田さんの言葉でもあります。

　蒸し暑い日々が続いていますが、変わりはないでしょうか。

　このところ世の中は不景気で、今まで民間の仕事を請け負っていたところもどんどん公共事業の入札に入るようになり、なかなかうちの会社も仕事が取れなくなっているようです。今年の夏は賞与も出ませんでしたが、世の中にはもっと厳しい立場の人々もいるようですし、何とかその日の暮らしができるだけいいかと思っています。

　最近、我が家に家族が一人増えました。近くのスナックで知り合ったアマリアという四十歳のフィリピン人女性です。籍はまだ入れてませんが、近々入れる予定です。

　それからもう一つ、勝明に心配させるのもどうかと思いましたが、報告しておきます。先日、母さんが家の中で倒れているのをアマリアが見つけて、救急車を呼んでくれました。脳卒中でした。もうすぐ退院も近いのですが、手足の麻痺はどうも治らないようです。寝たきりになるようで、その点については心配しています。賢い人でしたが、病気になってからは痴呆も入ってきた気がします。ときどき、勝明の名を呼ぶことがあります。山田さんには何

　　　　　　　　　　　　　　　　　　　　　　　　　　　敬具

　残暑お見舞い申し上げます。

度か見舞いに来てもらいました。

勝明もそちらで母さんの快復を祈っていてください。

前略　健康で過ごしているならば何よりと思います。

今回は勝明に何とも残念な報告をせねばなりません。母さんのことです。今月、十月二日、午後八時十二分に永眠しました。七十七歳です。去年、脳卒中で倒れてから寝たきりの生活をしていましたが、腸炎で入院した折、院内感染した菌がもととなって体調が悪化し、家に帰ることも果たせぬまま息を引き取りました。最期は私一人で看取ることとなりました。静かな寝顔でした。最期は私一人で看取る（みと）ることとなりました。静かな寝顔でした。そして茶毘（だび）に付され、あっけなく小さな骨壺に収まってしまいました。

山田さんが勝明のことを気にかけておりました。どうか気を落とさないように、とのことでした。肉親の最期を看取れなかったというつらさに対しては、適切な言葉は思いつきません、ましてこういう形で知らされねばならないということのつらさに対しては、適切な言葉は思いつきません、とのことでした。今日は報告までで許してください。

私も心に穴が開いたような寂しさを感じています。今日は報告までで許してください。

早々

前略　朗報を知らせてもらい、大喜びしました。山田さんも「やはり、朝は来たのだ」と、感慨ひとしおの様子でした。

事件の年から二十年。もうすぐ二十一年。でも、この年月で仮出所できるということは、勝明の模範囚ぶりを証明しているのではないかと思います。外で年越しができるということも、勝明の人柄を知る関係者の方々の思いやりではないでしょうか。

勝明。五十二歳というのは、人生まだこれからです。出所したら、ぜひ母さんのもとに報告してください。

未来に向かって、胸を張って生きていくことを願います。

早々

「しばらくだな」

鍋焼きうどんをたいらげて、手持ちのバッグから取り出した手紙に見入っていた荒に、部屋の入口から声がかかった。

「兄ちゃん」

薄汚れたニッカーボッカーを穿いた兄が立っていた。頭髪がめっきり少なくなり、大きく

腹が出ていたが、声だけはそれほど変わっていない。懐かしくて涙腺（るいせん）が緩んだ。堰（せき）を切って涙が出ようとする寸前、兄は話を続けた。

「供えもんもなしで来たんか？」

「……ごめん」

「宿はどうした？」

手紙の中の兄とは様子が違っていたので、荒は少し戸惑った。

「まあ、今日は仕方ないけどな。ここに来ても何もしてやれん。別に身柄引受人と一緒に住まないかということもないだろ。俺は俺で精一杯だ」

荒は何度も懸命に頷（うなず）いた。気を落ち着けて言う。

「手紙、一杯ありがとう。ずいぶん励まされたわ」

「あれか」兄は感情のない声で言った。「あれは俺が書いたんじゃない。山田さんだ。刑務所じゃ親族以外の手紙は受けつけんらしいじゃないか。もちろん俺が話したことが内容になっとるけれど、俺はあんな手紙は書けんし、俺の気持ちとも違う」

そうだったのかと荒は納得した。荒の知っている兄は、手紙の文章のような兄ではなく、目の前の兄だった。昔から変わらない。

「世の中には殊勝な人もおるもんだ。山田さんには母さんのことも含めて、そりゃいろいろ

世話になった。お前に送った手紙の『山田さんが……』っていう文章は俺が入れてくれと逆に頼んだんだ。あの人は頼りになる。ここに連絡先が書いてあるから」

兄はそう言って勝手のほうから一枚の紙を持ってきた。電話番号と山田裕二という名前が書いてあった。

「ありがとう」

荒は紙を受け取り、代わりに封筒から三万円を出し、裸のままでこたつ台に置いた。

「これ、少ないけど、仏さんの花買ってくれ。それから今日、弁護士さんに迎えに来てもらって金がかかったと思うから、その足しにしてくれ」

兄はその金を一瞥しただけで、何も言わなかった。

「もう来んから。最後にもう一回だけ」

そう言って荒は膝を立てて歩き、仏壇の前に正座した。先ほどと同じように線香を上げて、同じように鈴を鳴らし、同じように親不孝を詫びて、寂しさを嚙み締めた。

「お前以上に、俺ら大変だったわ」

兄は部屋の入口にあぐらをかき、ため息をつくように言った。

「家に石やらゴミやらが投げ込まれてな。発煙筒が投げ込まれたこともあった。逃げるように引っ越してな、手紙にあった通り初美はそのまま子供と実家に帰ってったわ。

　母さんも気の毒やったぞ。貯金と月々の年金、それから内職やって、被害者の娘さんに全部送っとった。娘さん、そのうち自殺してまってな。それでも施設に寄付しとったで。

　そのうち母さん、動けんようになった。俺も俺で働かなかんでな。どうもしてやれんかったわ。今のこれにだいぶ助けてもらったけどな、こいつもパートしとる。俺らが家に帰るまで、母さん一日同じオムツでおらないかん。それでも文句一つ言わんかったでな。寝ダコで、きても絶対痛いとは言わんかった。苦しみ抜いたわな。死んで楽になったわ、この人は」

　荒は兄の話を聞きながら、畳に頭をつけていた。

「ごめん……なさい」

　かすれ、震える声で言った。涙がぽたぽたとこぼれた。

「ごめんなさい」

　部屋の隅で洗濯物を畳んでいたフィリピン人の奥さんにも頭を下げた。

「父さんの墓は憶えとるだろう。母さんもあそこに入っとるでな。これからはあそこで済ませたってくれ。仏さんは俺が生きとる限り、俺が守ってくで。お前はお前で生きてけ」

　荒は黙って頷き、涙を袖で拭ってバッグを取った。ゆっくりと立ち上がる。

「兄ちゃん、すまんけど母さんの写真、一枚もらえんやろか」

　兄は返事こそしなかったが、無骨な手で茶簞笥の引き出しを開けて、無造作に重ねられた

写真の束から一枚を抜き取った。

「ちょうど十年くらい前か。まだ母さんが元気な頃でな。まあ、形だけ平穏なときがあったわ。正月、熱田さんにお参りに行ったときに撮った。それくらいしか残っとれへん。それくらいしか写真撮るようなときなかったわ」

写真の母はやつれていた。正月なのに笑顔はなかった。

「それ持って年越せや」

「ありがとう。すまんなあ」

荒は写真を大事に上着のポケットに入れ、兄の家を出た。2DKの、二十年前の実家と同じように貧弱な部屋だった。心のどこかで、兄には成功していてもらいたいと思っていたが、現実は現実だった。自分が淡い期待を抱く資格もないことを思い知らされた。

その日は名古屋駅まで出て、駅前のビジネスホテルに泊まった。名古屋駅そのものはすっかり変わってしまっていた。駅前の太閤通（たいこう）沿いにある小さな二本の天を衝くようなビルが並び、そこだけはまるでアメリカのようだった。しかし、駅から離れて小さな通りに入ると、昔と変わらないような街並みだった。ネオンや店の看板などは凝っているように感じた。ホテルは駅の案内所で見た中では安い部類だったが、それでも五千円では足らなかった。

ただ、その値段だけあって部屋は暖かくこぎれいだった。熱いお湯を張って一人風呂を堪能し、テレビのチャンネルをあちこち回しているうち、いつしか眠ってしまっていた。

翌日、荒は起きてからもう一度風呂に入った。十時近くまでかけてゆっくり身支度し、ホテル代を精算して外に出た。

頭を締めつけるような寒気（かんき）が街を覆っていた。空は鈍色（にびいろ）に曇っていた。荒は自分の肩を抱きながら、とりあえず駅舎に入った。

きらきらと光る床を歩き、売店で菓子パンを二個とパックの牛乳を買った。若者たちがそうしているのを見習って、柱にもたれて座り込んだ。目の前を行き交う人たちの姿をぼんやりと見ながら朝食を取った。

頭の隅にあるのは、このあとどうするかということだった。行く当てもないということだった。刑務所の木工作業で得た作業賞与金が手元にある。母の香典で十万円出しているし、二十年のうちに貯まった金は、信じられないことに百万円を超えていた。それでも、こんなホテル暮らしを続けていれば、あぶくのように消えていくことだろう。何はともあれ、まずは職を探したいところだ。働けるなら

今日からでも働きたい。

しかし、分が悪いことに、すでに年の瀬がやってきている。刑務所の親心がありがたくもあり、また、困惑の元でもあった。どうせなら年を越してから出してくれればよかったと思う。もう今日あたりは、どこの会社も休みに入っているだろう。

それにしても、と思う。あと二日で二十一世紀だったった。二十一世紀が来るということも信じられないし、それを刑務所の外で迎えることができるなどとは思ってもみなかった。自分自身の時計は二十年前に止まっているようなものだ。それが昨日あのホテルで眠りに落ちた間に、一気に二十年分、針が回ってしまった感じである。

焦燥感はないが、おぼろげに、今からこの社会でまともに生活していけるのだろうかという不安はあった。麻雀をやりたいとは思わない。伴侶(はんりょ)を求めるのも無理だろう。ただ、小さなアパートの一室を借り、一日働ける仕事があって、何とか健康を維持できるくらいの食事に恵まれさえすればいい。

それでも今の自分には高いハードルなのだろう。時世は不況だと言われている。ましてや刑務所帰り、殺人放火の罪で服役した男を雇う会社など見つけるだけでも難しいに決まっている。賞罰を問わない、極端に言えば、何者かも問わないような仕事を探さねばならないの

かもしれない。

彼らはどう社会復帰したのだろうかと荒は考える。自分より確実に早く出所したであろう時山や坂井田だ。湯本は未成年だから名前も公にならなかったろうし、あのときは見物していただけだったというから、刑罰らしい刑罰は受けていないはずだ。今なら何の足かせもなく社会に溶け込んでいてもおかしくない。時山も坂井田も、考えたくもない話だが、あの鬼畜のような狡猾さで何の苦もなく、相変わらず生きたいように生きている気がする。そう思うと、何ともやるせない。

ふと、前を行く人波を見ていて、とりとめのない思考が途切れた。

坂井田が、時山が、湯本が、雑踏の流れを横切って、こちらに向かって歩いてくるではないか。

荒は、時計が二十年分、一気に戻ってしまった錯覚に陥った。

馬鹿な……。

愕然（がくぜん）として両眼をしばたたく。すると、ピントが現代、そして現実に合った。こちらに歩いてくる三人は、あの三人ではなく、普通の若者だった。その中の一人の表情が何となく坂井田の面影を湛（たた）えていた。だから変な錯覚を起こしたのだ。

若者三人は荒の目の前までやってきて、座っている荒を囲み、見下ろした。服装はどれも

黒ずくめで見分けがつかない。前に立たれると、視界に影が差したようだった。

「オヤジィ、金貸してくれん？」

真ん中に立つ坂井田に似た少年がぞんざいな言葉遣いで切り出す。しゃれた格好をして金の持ち合わせがないとは。どこかに落としてしまったのだろうかと思った。

「え？」と、荒は意表を衝かれた。

「いくらいるんや？」

反射的に右手でポケットの封筒を探りながら訊いた。今まで持ったこともない高額の金を持ち合わせていたことで、少しくらいなら助けてやろうという気になっていた。電話代か交通費程度なら、無下に断るのもかわいそうだろう。

「ていうか、いくら持っとんの？」

少年が逆に訊いてくる。それで荒は初めて、この三人の異常性に気づいた。

「いや、ごめん。持っとらん」

荒が答えると、少年たちは一様に眼を細めて不機嫌な顔になった。

「嘘つけて。そのポケットにあるもん見してみいや」

「何もないて」

「はよ出せて。刺すよ。刺されたい？」

坂井田似の男がジャンパーの陰からナイフをちらちらと覗かせた。それを見て、荒は身体がすくんだ。誰かに助けを求めようにも、三人の身体が壁になってしまっている。

「いかんて。それはいかん」

荒は哀願するように上ずった声を出した。

「何がいかんのだ？　刺すぞて。あと五秒で刺す」

腰にナイフを矯め、早口にまくし立ててくる。

「待て、待て」

荒は頭の中が真っ白になったまま、ポケットから封筒を取り出した。そして中から千円札を中心に数枚抜き、それを少年に渡そうとした。ところが、坂井田似の男が素早く封筒のほうを引ったくってしまった。さらに荒の右手にいた少年が裸の紙幣にも手を伸ばした。握力を加えるより早く、紙幣が荒の指を抜けていった。一万円札も五千円札も荒の手から離れ、かろうじて握り残したのは、千円札一枚だった。

「なめとるとぶっ殺すぞ」

少年たちは奪った金を何気なくポケットに仕舞い、無表情で荒を一瞥すると、背中を向けて足早に姿を消してしまった。

手に残っている頼りなげな一枚の紙幣を呆然と見ていた。

千円札一枚！

何だこれは？

屈辱感とも絶望感ともとれぬ感情がじわじわと全身を蝕んだ。息苦しくなって喘いだ。そして、耳には自分の声が幻聴となって聞こえ始めていた。

荒勝明！　荒勝明！

荒勝明！　荒勝明！

荒は手のひらで耳を塞いだ。眼をつむり、首を振って必死に幻聴を頭から追い出した。

「うわあああっ！」

腹の底から声を上げ、幻聴に覆いかぶせた。顔を上げると、通行人たちが一斉に荒を見ていた。

荒は立ち上がってやみくもに走った。外に出たかったが、すぐに息が切れてしまった。この駅は広い。

壁にもたれて息を整える。うずくまって、長い間そうしていた。声をかけてくれる者は誰もいなかった。

どれだけ経ったろうか。荒は暗澹たる思いのまま、よろよろと立ち上がった。千円札を売店で両替してもらい、公衆電話に向かう。上着の内ポケットから山田さんの連絡先を取り出し、電話番号を目で追った。本当なら職も見つかり、生活の目処もついて、気持ちに余裕が

できてから連絡を取ってお礼を言いたかった。すがりつくように電話したくはなかった。

番号を押す。コールが二回鳴って電話がつながった。

「もしもし」

「もしもし……あの……荒と申します。荒勝明と申します」

荒は大嫌いな自分の名前を口にした。

向こうの反応までには一呼吸あった。

「荒さん？」

ことのほか明るい声だった。

「はい。昨日、出所しまして……」

「そうですか。それはおめでとうございます」

「もったいない。ありがとうございます」

優しい言葉に、荒は電話機に向かって頭を下げた。

「ありがとうございます。どこかでお会いしましょうよ。お祝いしましょう」

名古屋から名鉄の犬山線に乗って北に向かうと、四つ目に中小田井という駅がある。山田さんの住まいはどうやらその近くであるようだった。

「そこの駅前で待ってて下さい。何もないとこですけど、名古屋駅じゃ無事に会えるか心配ですから」

山田さんはそう言って電話を切った。

中小田井は高架線にある駅だった。改札を出て階段を下りたところで待っていると、間もなく一人の男性が高架沿いの道を足早に横切ってくるのが見えた。途中から人懐っこい笑顔を浮かべて、荒に手を上げた。荒はまだ彼が二十メートルも三十メートルも離れているうちから、恐縮しておじぎを重ねた。

山田さんはセーターに革の短いコートを羽織っていた。四十五、六という年齢よりはもう少し若く見える。

銀色のフレームの眼鏡をかけ、癖のない髪はサラリーマン風に短くこざっぱりとまとまっている。中肉中背で荒とそれほど変わらない体格である。

「山田です」

言いながら、彼は荒の前に立ち、荒の手を両手で握ってきた。温かい手だった。

「すいませんね。こんな寒いところで待たせてしまって」

「いえ、僕のほうこそこんな年の瀬に会って頂いて……」

「逆に暇なんですよ。独り身ですからね。バツイチってやつです」

「それに、服役中は何かと……」

「いいんですよ。私の好きでやってることですから。さあ、行きましょう」

そう言って、彼は勝手に歩き始めた。どこに行くのかも分からぬまま、荒は彼のあとをついていく。街並みは住宅地の色が濃いが、巨大なコンクリート高架がどこか風景を大味に見せている。車や自転車の往来が目につく一方、荒たちのようにのんびり歩いている人影は少ない。

「まあ、このあたり、大した店があるわけじゃないんですけどね」

どこかで昼食をとるのだと気づいて、荒は足が重くなった。

「あの、実は僕……」

荒は名古屋駅で金を巻き上げられたことを正直に話した。それを聞いた山田さんは声を裏返して憤りを露わにした。

「はあっ！　それは許せんやつらですねえ」

怒りで言葉が見つからないという感じで、しばらくは「はあっ」という声しか、山田さんの口からは出てこなかった。

「今はそういう連中が増えてるんですよ。そういうのは警察に行っても、どうにもなりませんからねえ」

やはりそうかと荒は思った。よほど交番に届けようかと考えたが、どうしても足が向かなかった。仮出所の身であることが分かれば、色眼鏡で見られてまともに取り合ってもらえないような気もした。

「まあ、僕はそういうことに怒れる分際でもありませんから」

荒がそう言うと、山田さんは口調を強めた。

「そんな。荒さんは立派に刑に服されたんですよ。もう、社会の中で一市民として堂々と生きる権利がある。後ろめたい思いをする必要はどこにもありませんよ」

刑に服したとはいえ、自分の犯した罪は一生背負わねばならない。山田さんの言葉を全部真に受けることはできないが、勇気づけてもらえるのは心強かった。

「お金がないのなら何日でも私のところへ泊まっていって下さい。私も金持ちではないから、大したもてなしはできませんけどね。それでよかったら」

「とんでもない。恐れ多いです。本当にもう、今日とりあえずお世話になれれば、あとは何とかしますんで……」

「でも明日は大晦日でしょう。どこで年を越すんですか」

「それはもう、何とでもなりますから」

「そう言わずとも。いつまでも若いと思っていると、お身体を壊しますよ」

荒は真面目に言っているのだが、山田さんは楽しげに笑っている。

「近くに書斎代わりの安アパートを一室借りてるんですよ。掃除はしてますし、風呂も使えますから、気兼ねなく泊まって頂いていいんですよ」

「はあ……ありがとうございます」

山田さんの家そのものに居候するのでないと知って、少し気が楽になった。あまり頑なに遠慮しても現実的でない。

「仕事にしても遠慮なく相談して下さい。力仕事ばかりですけど、いくつか紹介できるところはありますよ。刑務所帰りの人が経営している会社なんですけどね。ヤクザとかそういう関係じゃなくて、まともなんですよ」

「それは……ぜひ、紹介して下さい。何から何ですいません」

荒は頭を下げることに気を取られ、足をもつれさせてしまった。

「おっと……気をつけて下さいよ」

「はい、大丈夫です」

笑顔で気遣う山田さんに、荒はもう一度頭を下げた。

山田さんの足取りは軽く、寒空の散歩を楽しんでいるかのようだった。

「私のアパートのあたり、ちょうどこのあたりもそうですけど、九月の水害で軒並み床上ま

で浸かっちゃいましてね。　幸い私の部屋は二階だったもので助かりましたけど、町はひどいもんでしたよ。　一夜にして車や家具や家電、畳やじゅうたんが使い物にならなくなっちゃったんですからね。　通りは各家庭から出されたゴミの山ですよ。　高々と積み上げられました。

でも、中にはゴミ出しの力も出ないお年寄りだけの家もありますからね。　一ヵ月くらいそういうところをボランティアで手伝いましたよ」

この人は根っから人助けが好きなのだなと、荒は思った。　自分を含め、悪人がこの世にいるのと同時に、山田さんのような人がいる。　そうやって社会の釣り合いが取れているということかもしれない。

「先生みたいな人……本当、僕にはもったいないですわ」

荒は独り言のように呟いていた。　山田さんはちらりと荒を見て首を振った。

「何をおっしゃるんですか。　私はね、荒さんとこうしてお会いして、お顔を拝見してね、今まで新聞に載った事件当時の写真しか見てませんでしたけど、ああ、何か想像してた通りの人だなと思って嬉しいんですよ」

「はあ……想像通りというのは?」

「荒さんはね、私と似てると思ったんですよ」

荒にはその言葉はよく分からなかった。　自分が山田さんと似ている。　風貌のことだろうか。

顔の雰囲気、目鼻立ちなどは似ていると言えなくもない。お互い特徴のない凡百の顔だ。で

も山田さんは眼に力強さがある。

　いや、どちらにせよ、そういうことではないのだろう。人間として言葉では言い表せない

親近感のようなものではないか。そうでなければ、この鬱々とした初老の男と、まだ男盛り

にある明朗な彼に、共通するものがあるとは思えない。

「私が荒さんに興味を持ったのはね、新聞や雑誌の記事に出てくる荒さんの実像があの事件

の中で浮いているような、妙な感覚を抱いたからなんです」

　山田さんは真面目な顔になって話し始めた。

「荒さんは中学時代のクラスメートや職場の同僚から口をそろえて『大人しくて目立たない

存在』なんて言われながら、あの事件では若い同僚を率いて凶悪行為を働いたとされている

でしょう。いろんな証拠がその事実を裏づけているのに、でも、あなたは一貫して自分が主

犯ではないと主張していたようですね。だから、その流れでいけば当然、主犯としての無期

懲役刑という判決は受け入れることができず、控訴するのが普通だと思いますよ。

　荒さんも初めは控訴する意思があったようですけど、結局、地裁の判決に従って控訴はし

ませんでしたね。私はそこに、あなたという加害者が味わった理不尽な何かを感じざるを得

ないんです。たぶんあなたは、犯行への自責の念が強いあまり、自分が主犯ではないという

主張を放棄して、刑を受け入れる気になったんだと想像しますけどね。

ただね、逆の見方をするなら、それほど逮捕当初から反省の態度を強くしていたあなたが、主犯という二文字をかぶせられることだけは途中まで頑なに拒み続けた。そのことを私は深く考えるんです。もしかしたら荒さんは、共犯者の人たちに嵌められたと言いたいんじゃないかと……」

荒は聞いていて胸が一杯になった。この世にこれほど自分のことを理解してくれる人がいるとは信じられない気分だった。

「分かる人には分かる気分ですね。嬉しいです」

思わず、そう呟いていた。

「あれは本来なら忘れなきゃいけないと思います。僕にそんなこと言う資格はないんですよ。けど、やっぱり悔しく思ってしまうのは、母が他界したことがあるからで……もし自分が無期じゃなく、彼らのように十二年や十五年の刑で済んでいたなら、死に目にも会えたんじゃないかって……勝手な考えですよね」

「そうですか……」

山田さんはしみじみと相槌を打ち、それから明るい口調に戻った。

「ファミリーレストランでいいですよね?」

気づくと、車の往来の激しい大通りに出ていた。二十四時間営業と記された看板を出した

レストランが目の前にあった。

「温かいもの、食べましょう」

「先生、本当はね……」

店の階段を上がろうとする山田さんに、荒は構わず話を続けていた。彼は足を止めて、真

摯に聞いてくれた。

「本当は、あのやり切れなさを忘れたということは一度もないんですよ。僕は聖人じゃない

んで……。あんな鬼畜たちと組んだのが間違いだったと思うけれど……今日も財布を奪って

いった少年たちがあの三人に見えたんです。一生、あの三人につきまとわれて生きていくん

だと思いました。人を貶めて何も思わない人間がいるんです、現実にね。僕のしたことを棚

に上げて言うなら、それは許せないと思います。許せないですよ」

荒は知らず、眼が潤んでいた。自分が本音をさらけ出すとき、そこにはいつも恨みや悔し

さ、自己嫌悪、屈辱感、絶望感……そういうものしかないのだ。それがまた、やり切れなか

った。

「当然ですよ。そういう気持ち。復讐したいと思うのが自然だと思いますよ」

山田さんはあくまで明るく荒の肩を叩いた。

「もっとそういう話をしましょう。だからこそ私は荒さんを待ち続けてきたんですから」

「え……？」

「だからこそ……？」

その言葉は、「私と似てる」という一言とともに、荒には理解ができなかった。

2

もうしばらく来ていなかった。去年の十二月頃からだから、三カ月になるだろうか。ここ最近は安定していたと思ったが、やはり二カ月に一度は来ておくべきだった。

刑事という仕事は人間博覧会の会場整備のようなものだ。いろんな人間、あるいは人間だったものに遭遇する。知らぬうちに神経が磨り減っている。

人間の命の重さは同じではない。その重さは人それぞれの意識の中にあり、社会の中にもある。もちろん変化する。命の軽い国があり、命の軽い時代があった。それでも、現代の日本で驚くほど命の軽い人間が存在するのを見ると、暗澹たる気持ちになる。切ないほど軽い

のだ。三年の刑事生活で、辻薫平は嫌と言うほどそんな人間を見てきた。

そんなことを憂えて、どうなるものかと思う。

だが、気をつけてはいても、いつしか鬱を抱えて心の闇に迷い込んでいる。そうなれば一人では抜け出せない。同僚が心配して自分に声をかけてくれるのもつらくなる。　仕事を続けるのも大変な苦痛となってしまう。

辻の憂鬱症は何も刑事になってから始まったわけではない。　物心ついたときからの性質のようなものだ。ただ、刑事になってから重くなったということは言えるかもしれない。図らずも職場で恋人ができ、その女性と結婚するに至ったものの、それで症状が和らいだということはなかった。

刑事の仕事とは、どこまでも心の荒む仕事だった。それが心の闇を深くしてしまったのだ。

同じ警察官であり、辻の目標でもあった父がある日突然殉職し、闇は果てしなく広がった。

十代の頃、いろんな皮膚科や整形外科を回ったように、社会人になってからは、いろんな病院の精神科や心療内科を訪れた。だが、それらは辻に合わなかった。そこで、野に隠れたカウンセラーの噂を当たった。行き着いた一つが、この名古屋の庄内通に診療室を持つセラピストの北見宣之先生だった。

診療室といっても十階建て居住型マンションの一室に過ぎない。　看板も北見という表札し

かない。

名古屋市の北側を、東から西に向けて庄内川という川が流れている。岐阜を流れる木曾三川ほどの大きさはないが、悠々と水を湛えている。マンションの通路からビルの隙間を縫ってその川を見ることができる。

辻は診療室の黒いドアを開けた。ノックもチャイムも鳴らさず、こういうマンションのドアを開けることには、若干の違和感を覚える。

「こんにちは」

独り言のように言い、靴をスリッパに履き替える。玄関から一番近い部屋のドアが開いたままになっている。そこが待合室のようなものだ。

部屋にはクラシック音楽が流れていた。フローリングの床に、ソファが一つ置かれている。観葉植物が部屋の隅にあり、手のひらぐらいの小さな花の版画が額に収められて、白い壁にかかっている。マガジンラックには名画の専門誌が数冊並んでいる。

誰もいなかった。いつも誰もいない。一人予約が入れば、その日はほかの予約は入れないという。だから何時間でも相手をしてくれる。それで生計が成り立つのかとも思う。普段はほかの仕事をしていて、予約が入ったときだけここに来るのかもしれない。

「こんにちは」

部屋の入口に北見先生が姿を見せた。いつもの優しい笑顔で、若々しく柔らかい声だった。ゆったりとした綿のズボンにクリーム色のVネックセーターを着ている。背丈は辻と変わらないくらいだが、背筋が伸びてすらりとして見える。

「お久し振りですね、辻さん。どうぞ奥へ」

「あ、すいません」北見先生の口調に合わせて、辻の言葉も丸みを帯びる。「その前に顔を洗ってよろしいですか」

「どうぞご自由に。終わったら奥に入って下さい」

言って、北見先生は奥へと消えた。

辻は洗面室に入ってクレンジングフォームを顔に塗りつけ、それをお湯で流した。タオルで水気を拭き取ると、さっぱりした。

目の前の鏡で自分の顔を見る。カバーマークで隠れていた青痣がくっきりと浮かび上がっている。右の頬から口元にかけて、顔の六分の一近くを覆っている。いつ見ても、大き過ぎると思う。もう一回り小さければ気にならないかもしれない。だが、これが百円玉サイズになったところで、もっと小さければと思うのだろう。

見ていると、ますます落ち込む。しかし、北見先生のセラピーを受けるときは、素の顔で

いたいと思う。カバーマークをつけているといないとで、自分の心理状態がどう違うかは何とも言えない。周りの視線が違うだけのようにも思う。ただ、つけていない自分が本当の自分であることは確かだ。

タオルをバッグに仕舞って奥の部屋へと入った。

広いダイニングルームが診療室になっている。光沢のあるウッドテーブルが中央にあり、趣味のいい明るい色の椅子が二つ、差し向かいに置かれている。

大きな窓から陽が射し込み、部屋は暖かかった。もちろん医療機関ではないのだからどんな診療室でもいいのだが、ここは診療室というより絵本作家やイラストレーターなどのアトリエのような空間だった。

「ハーブティーでもどうぞ」

北見先生がキッチンからテーブルにティーカップを運んだ。

「頂きます」

辻は椅子に腰を下ろした。向かいに北見先生が座る。歳は四十前後というところだ。艶のある前髪が眉毛の上までかかっている。髪の毛は全体にボリュームがあり、耳も半分隠れている。多少白いものが混じっているあたりも柔和に見える。目尻の皺も優しげだ。

この先生は、辻と初めて顔を合わせたときの視線から違った。初めて青痣を剥き出しにし

た辻の顔を見る人は、二通りに分かれる。一つは、無神経なほど顔の痣に視線を留める者だ。好奇と憐れみの眼差しに、辻の痣は熱く灼かれる。

もう一つは、辻の顔から目を逸らし続ける者だ。まったく見ようとはしない。気を遣ってくれるのは分かる。だが、あまりに意識的過ぎて、そんなに見られない顔なのかという思いにも駆られる。

北見先生はそのどちらでもなかった。辻の眼を見ていた。その視線にレーザーのような鋭さはなく、自然光のように広がって、顔全体を、そして右頬の痣もさりげなく捉えているようだった。だから、彼の前に素顔をさらすのは極めて自然にできた。

「もっと早く来たかったんですけど、なかなか仕事の都合がつきませんで……」

辻はぺこりと頭を下げた。

「いえいえ」北見先生が静かに言う。「わざわざ来てもらっても高いお金を取るだけでねえ。来られないということは、まあ何とか無事に過ごされてるということですからね、いいことだなと思ってたんですよ」

「やっぱり、その……」辻は言葉を選びながら話す。「ときどきは先生に話を聞いて頂かないと心のバランスが保てなくなるようで……」

「心にも老廃物が溜まりますからね。掃除してやらないといけない。あなたの掃除の方法が

これであるなら、私はいくらでも付き合いますよ」

北見先生のセラピーでは、特効薬などない。

そして時折、アドバイスのようなものがもらえる。それだけなのだ。初めは物足りない気がしたが、二度、三度と通ううちに、これこそ自分が求めていた治療だと辻は気づいた。

病院の精神科では、そうはいかなかった。内科や皮膚科ほどではないが、それでも病院の診療というのは患者を並べた流れ作業に違いはない。医師が質問をし、辻はそれに答える。話半分のところで鬱病という病名が確定し、眠れないと言えば睡眠導入剤を、気が塞ぐと言えば抗鬱剤を処方される。心の老廃物は溜まったままだった。

北見先生には独特の話しやすさがある。辻は口下手で、短い話しかできない。長い話をしようとすると、途中で自分が何を言おうとしているのか分からなくなってしまう。いつの間にか、話をつなげるためにただ言葉を発しているだけになってしまっているのだ。それを北見先生は、話の腰を折らず、うまくまとめながら聞いてくれる。気づくと、辻は三時間、四時間と話し続けている。恥ずかしげもなく、自分のコンプレックスを吐露している。そして疲れた頃には、錆びついた鎧を脱ぎ捨てたように、気分が楽になっているのだ。

「あの……また日記から読ませてもらいます」

辻はバッグから日記帳を取り出した。去年の十二月四日にここを訪れている。十二月五日

の分から読み始める。

「十二月五日、午前中本部で書類整理のあと、午後より今枝氏と北署へ。若福町独居老人殺人事件被疑者、丸山武一の取り調べ応援。一週間続いている取り調べで丸山は疲労している。よく眠れない模様。胃が痛いと机に突っ伏す。突然奇声を上げる。むせび泣く。殺人はいまだ否認。通帳はD銀行の駐車場で拾ったとの供述変わらず。共犯者もなお不明。勾留延長の気配。午後六時交代。今枝氏は丸山を罵倒し気力を萎えさせる手に出るが、それでは落とせないと思う。こちらがなだめ役に回らねばならず、疲れた。十時帰宅。笙子がアニマルセラピーの本を買ってきた。ハムスターを飼いたいと言う。彼女なりに心配してくれているらしい。申し訳なく思うが態度保留。十二時就寝……」

日記には仕事の記録から家庭での話、体調や気分が記されている。北見先生に勧められて始めた。これを読んでいると、否が応でも自分の内面世界に入っていく。

この様子を上司に見られたなら、辻はたちまちに職を解かれるだろう。職務内容を部外者に話すなど警察官にとってあってはならないことだ。それを承知で辻は日記を読む。北見先生への信頼はもちろんだが、仕事というのは生活の半分以上を占めるわけで、自分の心理状態に与える影響も大きい。これに蓋をして心神の安定を求めることなど無理なのだ。

辻は二時間近くかけて日記を読み終えた。顔にいくぶん汗をかいていた。自分の身体の中

から病巣を引きずり出したような、気だるい爽快感があった。

「相変わらず忙しいんですねえ。刑事さんという仕事は」

北見先生は辻の顔を見ながらスケッチブックに鉛筆を走らせていた。辻が日記を読んでいる間、ずっと絵を描いているようだった。

「それでもその仕事を続けてらっしゃるということは、それなりの魅力もあるんじゃないですか？　仕事が面白いと思える瞬間とか」

「はい。確かに……僕は本部の捜査一課に抜擢してもらってますから、捜査の第一線で仕事ができるんです。そういうのはやっぱり警察官の憧れですし、僕はラッキーだなと思います。それに、捜査っていうのは現場に落ちてたり、周辺の住人が持ってたりするパズルのかけらを捜査員個々で取ってきて、それを組み合わせるようなものなんです。だから大きなかけらを手に入れたとき、それで事件の全体が見えるかもと思うとぞくぞくする……そんな醍醐味はほかでは味わえないんじゃないかと思います」

北見先生は何度も頷いて微笑んだ。

「なるほど……私はね、辻さんは優秀な刑事さんなんだろうなと思うんですよ。もちろん私は刑事さんの仕事のことなんかは分かりませんけどね……でも、捜査っていうのは地道な努力が不可欠なんだろうし、被害者にも加害者にも人間的に接する資質が必要なんでしょう。

もちろん、頭脳も体力もいる。辻さんは何より頭脳明晰ですし、体力も問題はない。そう考えてみると、あなたは必然的に優秀な刑事だなと分かるんです」

「いや……僕なんかなまじ頭でっかちで、逆に馬鹿にされます。名大なんか出てても今じゃ重荷なだけです」

「馬鹿にする人はね、大した学歴を持ってないんですよ。そしてまあ、仕事は一通りできるんでしょう。でもね、仕事ができるから学歴を馬鹿にするというのはおかしな話だと思いませんか。仕事と学歴は互いに比較するものではありませんし、仕事が学歴より素晴らしいものだと言い切れるわけでもない。仕事だって、たかが経済活動ですよ。別に取り立てて威張るほどのもんじゃない。だから、学歴を馬鹿にする人は、まず間違いなく学歴にコンプレックスを持っている人なんです」

北見先生は先が丸くなった鉛筆を軽く振りながら、ささやくように語りかける。

「学歴、あるいは学校での勉強というものにコンプレックスを持っている人は、たぶん辻さんの考えている以上に、世の中に多いんですよ。それは社会に入ってもしつこくついて回るんです。名古屋大学を出てると聞くと、あ、すごいなと思う。それだけで圧倒される。相手の印象が変わっちゃう……そういうコンプレックスは多くの人が持ってるんです。それはね、あなたが以前から持っている顔の痣へのコンプレックス……これと質的には何ら変わらない。

　もちろん人によってコンプレックスの大小はあるでしょう。けれどそれは、コンプレックスを生んだ問題の相対的な大小ではないんです。あくまでコンプレックスの大小とは、問題を受け止める人間の心の強さ弱さなんですよ。

　あなたは痣をジロッと見られると、たじろいでしまう。かたや、学歴なんてクソ食らえと反発する人がいる。これはその人の資質です。確かに顔の痣というのは少数派的なコンプレックスで、学歴などは大多数に見られるコンプレックスだという違いはあります。顔の痣は反発しようにも多数の共感は得られない。そういう違いは確かにある。難しい問題です。でも、どんな人間も割とあなたの気づかないようなコンプレックスを抱えているというのは憶えておいて損はないんじゃないですか。同時に、あなたは自分で気づかない他人への優越性を持っているということも」

「はい……よく分かりました」

　辻は自分の心の中央に陣取る、劣等感という大きな塊を見た。そこに北見先生の言葉の一つ一つが雫となって静かに落ち、それを溶かそうとしている。

「気にしないという方法はあるんですよ」

　先生はまた、スケッチブックに鉛筆を戻した。さらさらと耳触りのいい音がする。

「人間というのは不思議なものでね、そうだと思うと、そう思い込んじゃうんです。例えば

辻さん、あなたの身長はどれくらいですか？」

「百……六十九センチです」

「そうですか。私が百六十八だから、その点でもあなたは優越感を持っていい。まあ、心の中だけでね」

そう言って北見先生は目尻に皺を作った。

「それで、その身長ですがね。これから毎日、俺の身長は百七十センチだと自分に言い聞かせてみるんです。そうすると、いつの間にか、あなたの身長は百七十になってしまうんです。いや、実際には百六十九ですよ。でもね、例えばさっき私が訊いたように、『あなたの身長は？』と訊かれると、あなたはごく当たり前に『百七十センチです』と答えるんですよ。

こういうのはもう思い込みだけなんです」

そんなものかと訝り、そんなものかもしれないと思う。

「だからね、確かにあなたは痣という顔の障害を抱えて、それが密接に心につながって思い悩んでいる。悩みの元凶は痣でしょう。でも、そこまで悩みを大きくしてきたのは、あなたの心のあり方でしかないと思うんですよ。痣が泥水となって、あなたの心という池を汚してしまっている。これはもう、永遠に汚れ続けることになります。だからあなたも池の管理を

嫌がって、葉っぱやゴミを浮かべ放題にしている。そういう感じです。

じゃなくてね。痣というのはあなたの心にとって異物であるべきなんです。例えば池に入っている一つの奇岩。最初こそ気持ち悪いけれど、気にしなくなったら気にならない。岩は水を汚しません。せっせと水面のゴミを拾っておけば、透き通った水のきれいな池になるんです。

悪人顔がすべて悪人ではない。でも、悪人がいつしか悪人顔になっているということはあるわけです。痣にこだわっていると、そこを見逃すことになります。辻さんは私の顔を見てどんな顔だと思いますか?」

「ええ……先生は柔和で優しそうな顔だと思います」

「はい。私も自分の顔は取り立てて自慢するような顔だとは思いません。目鼻立ちとかそういう意味でね。普通の顔でしょう。辻さんと私の顔はお互いにこんな感じです」

北見先生はスケッチブックの中から一枚を破り、今まで描いていたものと並べて見せた。辻の顔と北見先生の自画像だった。鉛筆で描かれたデッサンだが、画家のようにうまかった。

「こうやって絵にしてみるとね、痣もただの影のように見えなくもない。ちょっとした発見がありますよ。辻さんの目鼻立ちというのは悪くないと思います。まあ、取り立てて自慢するほどではないというところでしょうか」

北見先生は自分で言っておかしそうに笑った。

「というのはね、辻さんの目鼻立ちは結構、私に近いものがあるわけですよ。両眼、鼻、口のバランス関係なんかはね、割と似ている」

そう言われてみれば、そのように見える。

「まあ、額の大きさや顎の形、肉づき、そういう諸々が入ってくると、まったく違ってきちゃうんですけどね。一番大きな違いは表情です」

北見先生はスケッチブック上の辻の顔に、何度も指で円を描いた。

「悪人が悪人顔になるというのは表情なんですよ。目鼻立ちが変わるわけじゃない。辻さんの表情はね、これで見てもらえばお分かりの通り、私よりずっと強張っているでしょう」

その通りだと思った。北見先生の顔に比べれば、自分の顔は仮面をかぶったように素っ気ない。

「顔の魅力を決めるのは、表情なんですね。俳優の顔に魅力があるのは、表情が豊かだからです。表情を柔らかくするのは、痣を消すことよりずっと簡単で、ずっと重要なんですよ。加えて、痣など気にしないということになるわけです。さっきの思い込みの話をしましたけど、カバーマークをして痣を消しますね。そうしたとき、本当に消えたと思うんです。あ、消えちゃったと。実際は隠れているだけとかは思わなくていい。そういう暗示がね、大事なんです」

そう話す間にも、北見先生の口元には常に笑みが湛えられている。よく考えればそういう表情もできていない辻は、北見先生を羨ましく思った。プラス思考というのだろうか。現在の医療技術からして痣を取り切ることは無理だろう。ならば痣など気にせずに、陽気に生きていきたい……それは辻自身、何度も思い、そして挫折してきたことだった。

しかし、北見先生の話を聞いていると、そんな生き方も実はたやすいような、今日からでもできるような気がしてくるのだ。それだけでもここに来る価値はあったと辻は思う。

3

岐阜県立加茂病院・消化器科の医師、小倉愛子は手洗いから出ると、ロビーの窓から覗く見晴らしのいい景色を横目で見て、廊下を急いだ。

一瞬見た外は青空だった。まだまだ梅雨明けには遠いのだろうが、まるで真夏のような空だと思った。あと一月もすれば放っておいても本当の夏がやってくる。

去年の夏は暑かった。昼間は病院内に強力な冷房が行き渡るので暑さも忘れるが、夜はコ

スト削減の省エネ対策で中途半端に冷房が抑えられる。医局で夜勤をしているとたちまち顔に汗が浮いてくる。

あの暑さには入院患者もまいったようだ。病室の窓側にはエアコンが入っているが、微調整が利かないので、冷房をつけているととことんまで冷え切ってしまう。だから窓際の患者はたまらず切るか、慣れた者は窓を開けて冷房をつける。どちらにしても入口のほうでは冷房が届かないので、入口側の患者は暑くて眠れない。去年の夏は睡眠導入剤がよく出た。

夏と冬は患者にも負担がかかる。なるべく無難な夏が来てほしいと思う。

診察室に戻って、小倉はもう一度手を殺菌消毒した。診察時間は過ぎているが、まだ患者は残っている。

「村田春子さん」

カルテを見て名前を呼ぶ。「はい」としわがれた声がして、六十八歳の小柄な女性がカーテンの向こうから現れた。ひょいと丸い回転椅子に座る。

「胃のほうはどうですか？　まだ痛むかなあ？」

「ええ。しくしくとねえ……」

「うーん。そっかあ。この前のねえ、胃カメラ呑んでもらったやつ。それから胃の組織採っ

て調べたわねえ。その結果で言うと、軽い胃潰瘍があるんだわ。胃がこうあるとねえ、この
へんね。ちょっとただれとるんだね」

小倉はメモ用紙に胃の絵を描いて説明する。　村田春子は顔を紙に近づけたり遠ざけたりし
てピントを合わせ、神妙に頷いている。

「で、まあこれくらいだとね、健康な人でもストレスを受けたりするとなるんだわね。だか
らとりあえず今日、胃潰瘍の薬を出しときますから、それで様子を見てもらえんだろか。た
ぶんそれでよくなると思うでね」

二週間後にまた来て下さいと言うと、村田春子は物分かりよく笑顔で頭を下げ、診察室を
出ていった。

カルテを書き込み、一丁上がりと、後ろのトレイに入れた。　次のカルテに目をやる。

とたんに気が重くなった。

「滝中守年さん」

努めて元気な声を出して呼んだ。

カーテンが半分開き、ごつごつとした身体つきの男が背中を丸めて入ってきた。　背丈は百
八十センチはないくらいか。以前はもっと大きく見えたが、だんだんと肉が削げてきている
感じがする。

「どうぞ座って下さい」

滝中はスーツ姿だった。短い髪は白髪が混じって乾いていた。頬骨の張った四角い顔をして、双眸が大きい。五十七歳というのは、小倉の父親とまったく同じ歳だ。頑固親父っぽい雰囲気など、父に似ていると小倉は思う。彼を診察するたび、今夜あたり高山の実家に電話でも入れてみようかと思うのだ。

滝中は警察病院から移ってきていた。警察官か、警察官だったということだろう。仕事については詳しく訊くつもりはない。確か自宅からはこの病院のほうが近いのだと言っていた。奥さんにはもう先立たれているらしい。子供も実家にはいないという。誰かいれば、そちらにまず話したい段階に来ている。

彼は丸椅子に腰かけると、踏ん張るように足を大きく広げた。それでも緊張しているのか、それとも照れがあるのか、視線はなかなか小倉のほうへ向かなかった。

「ええと、先週検査して頂いた結果が出てますけど、最初から説明しましょうか」

「はい」

滝中の声はしっかりしていて、緊張を思わせるような上ずった感じはなかった。

「一昨年の五月ですね、大腸がこうあるところのこの右部分、横行結腸というところに約五センチの悪性腫瘍が見つかりました。それで外科手術をして、腫瘍部分を含めて三十センチ

の横行結腸を切除し、同時にこの付近のリンパ節に転移している可能性があったので、脂肪組織ごとリンパ節を取ったと。こういう措置を行いました。

で、この横行結腸にできた腫瘍というのは、お尻のほうから遠いんで、まあ一般的に発見が遅れるんですね。滝中さんの場合も、ちょっと大きくなってたもんですから、どっかにがん細胞が飛んでなかったかっていう心配はあったんですよ。それで一年ほど通院して抗がん剤を打ってもらったんですが、これは当初の薬では白血球が減少してしまったので、副作用の少ない薬に替えてやりました。そういうことになるんですけど」

滝中は黙ってメモ用紙を見ていた。小倉が話のキーワードをとりとめもなく書いてしまったので、腸の図はもはや形跡を留めていない。

「まあ、ここ何カ月は別段問題なく過ごされていたと思うんですけど、今月ですね、六月に入ってから疲労感や胸の痛み、それから腰の痛みを訴えられましたので、CTやMRI、骨シンチなどの検査を行ったわけですね。それでその結果どういうことが分かったかというこ　となんですけど……」

一気に言葉を続けるつもりが、思わず一呼吸置いてしまっていた。口が重くなるのを無理にこじ開ける。

「手術で腸をつないだ部分っていうのは何ともなっていないんですが……」

メモ用紙をめくって新たに図を描く。

「肝臓という血液を浄化する臓器ですね。ここにあるんですけど、この肝臓に腫瘍ができてるんです。一つじゃありません。豆粒から小指の頭くらいのやつがいくつか点々としてます。あと肺にも左右に三カ所。右に一カ所、左に二カ所と。それから、骨シンチで骨盤にがん細胞が転移しているのも認められています。腰の痛みはおそらくそこから来ていると思います」

小倉は言葉を区切って、滝中を見た。滝中は一瞬だけ小倉と目を合わせ、またメモ用紙に視線を落とした。

「そうですか」

立派と言いたくなるほど、滝中の声は地についていた。事の重大さが理解できていないのではと思いたくなるほどだった。それならそれでいいという思いも小倉にはあった。

「それでまあ、こういう進行性のものについてはメスを入れても、根本的な治療にはならないんですね。もちろんそれでもやるという考えはありますよ。この判断は難しいところなんです。でも、手術をしたがゆえに体力を消耗するというのは、滝中さんも前回の手術で経験されていると思いますし、体力を温存させながら抗がん剤で腫瘍を騙し騙しして付き合っていくというのが一つの方法かなと……」

「そうして下さい」

滝中はきっぱり言った。

「なるべく普通の生活で」

ああ、ちゃんと理解しているのだと小倉は思った。なるべく長く普通の生活を送れるよう

な治療をお願いしたい……その言葉の中から、死の匂いが故意に除かれている。

「分かりました。じゃあ早速ベッドの空きを待って、そうですね、一月ちょっと入院治療し

ましょうか。抗がん剤もいろいろ試して、効果的な組み合わせを探しましょう」

小倉は笑顔を作った。大丈夫です、前向きに頑張りましょうとの言葉を続けたかった。し

かし、滝中の顔を見て、言葉を呑み込んだ。

彼の眼は充血していた。それ以上潤むのを許すまいと、歯を食いしばっているのが分かる。

何とも居たたまれない気分だった。

4

〈ルーシープロ〉のドアを開けると、事務所の中には誰もいなかった。奥の会議室からテレビの音が聞こえる。

滝中朱音は狭い事務所の壁際を通り抜け、奥の会議室を覗いた。

「あ、おはよう」

雑誌を広げつつ、アイスクリームを食べているのは朱音と同期のタレントであり、元ヘパラソル〉の仲間、平松梨絵だった。オレンジ色のキャミソール風ワンピースを着ている。

「久し振りだね。今日、何かあるの?」

朱音は梨絵の質問には答えず、逆に「社長は?」と、口だけを動かした。

「誰もいないよ」と梨絵。「ダメヒメのコンサートレッスンに何人かついてるし、社長も様子を見に行ったんじゃないの。だから私が留守番してんの」

「あ……そう」

一度に緊張の糸が切れたような気になり、朱音は梨絵の向かいに腰を下ろした。

「ねえ、朱音ってよく見る夢とかある?」

梨絵が開いているのは、どうやら夢占いのページらしかった。

「夢……そうね、ミイラの夢とか」

「は?　ミイラ?」

梨絵は呆れたように笑って誌面をつぶさに見ている。

「ないよ、そんなの」

「だろうね」

気のない朱音の反応に梨絵が頭を上げる。

「社長に何か用?」

「うん、別に」

曖昧にごまかしたが、梨絵はそれ以上訊いてこなかった。

「でもちょうどよかった。私、あと少ししたら例の電広のオーディションに行かなきゃいけないんだよね。誰か帰ってくるまで留守番お願いしていい?」

「うん。いいよ」

梨絵が行くのは、広告代理店が主催するCMのオーディションだ。大手飲料水メーカーのコマーシャル・フィルムで、何本かのパターンがストーリー仕立てとなって一年間、お茶の間に流れるという大きな仕事である。家族もので、メインの妹役は売り出し中アイドルに決まっているが、お姉さん役はこのオーディションで決められる。台詞もあるらしい。朱音も受けたい気持ちはあったが、どうしてもというエネルギーは湧いてこなかった。梨絵が立候補してくれてホッとしたくらいだ。

「朱音、最近太ってきてない?」

梨絵がニヤニヤ笑いながら言う。良くも悪くも彼女は口が正直だ。

「そんなに目立つかな?」

「今、何キロ?」

「うーん。五十キロいってるかも」

言いながら、自分の腹の肉をつまんでみる。しっかりつまめた。

「それ、過食症だよ。やばいよ」

「分かってるんだけど……ねえ」

ストレスで太るというのはこういうことかと、朱音は最近気づいた。異常に空腹感がある。ストレスで過剰に分泌された胃酸がどんどん胃の中のものを消化していくのだ。甘いものを食べると、その感覚は落ち着く。まるでアルコール依存症の人間がアルコールを口にすると手の震えが止まるように、甘いものを食べている間は気持ちが落ち着くのだ。

「朱音ってさ、何にも言わないよね」

ストレスが溜まるようなことがあるんじゃないかと心配してくれているらしい。

「そういうわけじゃないけど……」

あり過ぎて言わないだけだった。それも秘密主義というなら、その通りだろう。

日々、心でため息をつきながら仕事をしている。辞めたい、辞めたくない、と花びらをちぎって占うように迷っている。

続けていれば、何かいいことがあるような気もする。しかし、目に見えていい仕事が来なくなった。待遇は下がる一方で、一山いくらという扱われ方だ。二十四歳で月給十四万なら、普通のOLだってもっともらっているだろう。だが、それに見合った仕事をしているかと言われたら返す言葉がない。

楽しければそれでいいという考えもあるが、もうここ二年ほど、仕事が楽しいと感じたことはない。無理やり生き残り競争に参加させられているみたいで、心が荒んでいくばかりだ。無駄に歳だけ取っていく。これという取り柄もない。

ただ、そんな愚痴を友達に言って何になるという気がする。それならそんな鬱屈した悩みは一人で抱え込んでおいて、梨絵とはたわいもない話をしながらリラックスできる関係でいたいと思う。

十九歳からの二年間、田川美春、平松梨絵と一緒にアイドルユニットの〈パラソル〉をやっていた頃は、それでも充実していた。操り人形のようにただ振り回されていただけだったが、歌を歌えば声援があったし、旅行感覚で海外にも行けた。

ただ、テレビにはよく出たものの、本当の意味でお茶の間に認知されるところまではいか

なかった。高江社長が言うところの、投資した分の回収はできなかったというあたりだ。活動の後半は、美春の人気俳優との不倫スキャンダルのほうが注目を集めた。彼女がその恋を成就させて結婚すると、ユニットはあっけなく消滅した。〈パラソル〉は良くも悪くも美春のためのユニットだったのだ。

芸能界が成り立っているのは、無責任に人間の才能が消費されるからである。売れるタレントも売れないタレントも同じように消費される。売れるタレントは報われ、売れないタレントは報われない。〈パラソル〉の場合、美春というタレントが報われるために、朱音と梨絵の才能は無責任に消費された。

才能の浪費ほど空しいものはない。一人になって我に返ると、哀れなボロ雑巾になっているのだ。それに命を吹き込もうと力を注ぐ物好きは少ない。それでもこの世界に才能をぶつけていく者があとを絶たないのは、そこにある種の夢とかファンタジーを見ているからだろう。だが、この世界の夢とは、つまるところお金という現実でしかないことに気づくと、才能をぶつける推進力も失せてしまう。

芸能界で生き残るのは、天才か狡猾か鈍感な人間である。自分はそのどれでもないと朱音は思う。

だから結論としては一つしかないのだ。

「もう辞めよっかなんて思ってね……」

朱音がぽつりと言うと、梨絵は眼を丸くしてみせた。

「辞めるって？　この仕事を？」

「うん」

「契約更新の時期でもないのに？　何で？」

「もういいかなって思えて」

「ええっ。もったいないじゃん。今、ちょっと苦しいからってさあ。何でよ？　朱音のお嬢様っぽい落ち着いたところとか、私は貴重だと思うよ。誰でも出せる味じゃないしね」

「私、お嬢様じゃないから」

「味よ、味。実際はどうかなんて関係ないんだって」

梨絵はアイスクリームのスプーンをきれいに舐めて、ゴミ箱に捨てた。彼女は大食いのほうだが、決して太らない。スタイルは抜群だ。明るくて笑顔も絶やさない。彼女なら再びチャンスが訪れるのではとも思う。

「今は我慢のしどころだよ。ダメヒメが売れてるったって、あんなのすぐこうだよ」

梨絵は親指を下に向けた。

梨絵が言うダメヒメこと〈オリヒメ〉は、この〈ヘルーシープ
ロ〉が現在売り出しているアイドルユニットで、十八歳の二人組である。ヘタウマなダンス

と歌で、このところテレビの歌番組やバラエティなどによく出るようになっている。この夏はコンサートの全国ツアーも企画されていて、今はそのレッスンに余念がない。ミイコは〈オリヒメ〉の一人、ミイコというのが、梨絵の毒舌の格好の標的となっている。

〈ルーシープロ〉の高江社長が苦しい台所から五百万だかの支度金を彼女の実家に払ってまで連れてきた逸材で、確かに誰もが振り向くような美形である。オリヒメの人気も彼女のルックスに負うところが大きい。しかし、彼女には礼儀という観念がなかった。たびたび外部のタレントからも苦情の出る傍若無人ぶりで、何か気に入らないことがあると、事務所の中でも平気で弁当やコーヒーを投げ捨てる。売れる前から朱音たちには挨拶をしなかったし、人を呼ぶときは「あの人」「この人」である。

「いずれあいつらは化けの皮が剝がれんのよ。そのときは大人の女へ変貌した私らの出番だっちゅうの。ふっふっふ」

梨絵は芝居めかして、ほくそ笑んでみせた。

朱音は愛想笑いだけして、自分の話をする。

「お父さんが入院したんだよね」

自分の口調は梨絵とかなり温度差があると、朱音は感じた。この暑さの中で冷えた声だった。

「また？　前もあったんじゃない？」

「うん。一昨年にね。今度もがんみたいなのよ」

「大変ねえ。朱音は一人っ子だし。でもこの世界、親の死に目には会えないっていうからね。私は覚悟してるけど」

それは梨絵の両親がまだ健在だからだろうと朱音は思う。

四年前に母が逝ったときは、まるで朱音が駆けつけるのを待っていたように息を引き取っていった。あの瞬間、魂というのは存在するのだと信じることができた。涙が止まらなかったが、看取れてよかったと思った。肉親の旅立ちは何をおいても見送るべきなのだと、あの経験から今でも思う。

「じゃあ、この仕事辞めて、地元に戻ろうと思ってるわけ？」

「そう言われると、そこまで考えてないんだけど」

辞めたいという気持ちは前々からあったわけで、今回の父の入院はその思いを加速させた理由の一つではあるけれども、直接的なつながりはない。父のそばを離れられないようなときが来るのはまだ先のことだろう。少なくとも今年や来年ではないと思う。柔道三段で、あの歳でもいまだに筋肉が張っている。一昨年手術したときも、体力の回復は人並み以上に早かったし、抗がん剤で食事を戻すようなことも幸いなかった。あのとき分かったのは、がん

治療というのは体力との闘いであり、がんは治る病気だということだった。

「彼はどう思ってんのよ？　まだ付き合ってるんでしょ、カメラマンの彼」

「付き合ってるって言えば付き合ってるんだろうけどね。うまくいってるのかどうかは、自分でも分かんないよ」

「遊ばせ過ぎじゃないの？　いい男だし、私だったら決めにかかるわよ。もう三十六だか七でしょ。いい加減、落ち着いてもらってもいい頃じゃないの。あれ？　案外そっちのほうでいい話があって、辞めたいってことだったりして？」

「違うわよ。そんなんじゃないって」

「まあ、カメラマンって結構生活は苦しいらしいしねえ。そのへんがちょっとネックではあるよねえ」

事務所の入口のほうでドアが開く音がした。しばらくして会議室に誰かが入ってきた。

「うわあ、何か空気淀んでるっていうかあ……暑くなーい？」

顔を見るまでもなく、声でミイコだと分かった。誰に言っているわけでもない。独り言なのだ。彼女は勝手にエアコンのリモコンを操作して、冷風の温度を下げた。

「足達い！　エステ行きたいから予約取っといてよ……え？　今からに決まってんじゃん。私が行きたいんだっつうの」

「はあ？　何でマーコに訊く必要があんの？　私が行きたいんだっつうの」

大きな声でデスクにいるらしいマネージャーと話を終えると、彼女は椅子に座って煙草に火をつけた。　携帯電話を取り出し、黙々とメールを確かめている。朱音や梨絵には一瞥もくれなかった。

「さむーい」

梨絵は露骨に自分の肩を抱いて立ち上がった。

「じゃあ、私、そろそろ行くわ。まあ、どんなふうになっても一友人として応援するから」

「うん。ありがと。梨絵もオーディション頑張って」

梨絵はミイコの背中に悪意の視線を送りつけ、大股で会議室を出ていった。

事務所を見ると、高江社長が奥のデスクに戻ってきていた。

「社長、すいません」

「おお、朱音ちゃん。どうした？」

朱音の呼びかけに、高江社長はだらしなく口を開けて顔を上げた。五十を過ぎてすでに前頭部がはげ上がり、ちりちりの髪を無造作に伸ばした男だ。小柄で小太り、いつでもゴルフに行けるような格好をしている。もさっとした感じの中年だが、青いフレームの眼鏡が業界的な軽さを覗かせている。

「ちょっと、折り入ってお話があるんですけど」

朱音が言うと、高江社長は眼をしばたたかせた。

「あ、そう。じゃあ、あっち行こう」

言って、彼は立ち上がり、会議室へ移動した。会議室ではミイコがまだ携帯をいじっていた。

「その髪の色、いいねえ。思い切って赤を入れてみたけどいいじゃない」

社長はミイコのご機嫌を取りながら、会議室のドアを閉めた。

「ていうかぁ、ミイコ、エステに行きたいんだけど、足達が何やってんだかぁ……」

「ああ、今予約取ってるんだよ。もうちょっと待って」

彼女がいる中で話すのかと、朱音は気が滅入った。社長はこういうところに無神経なのだ。

「で、何の話？」

椅子に腰かけるなり、社長が尋ねてきた。大きく朗らかな声だ。昔はマイナーなグループサウンズのボーカルをやっていたという。

「あの……突然で申し訳ないんですけど……この仕事を辞めさせて頂こうかと……」

「はあっ？」

社長の顔が一瞬にして曇った。丸くした眼で朱音を睨みつける。

「駄目、駄目。何言ってんだよ。バッカ野郎。まったく冗談じゃないよ。辞めたい、辞めま

すってそんな簡単なもんじゃないぞ」

　社長は何度も舌打ちをしながら、そう吐き捨てた。それからしばらくため息をつき、やっ

と、「何で?」と訊いてきた。それも苛ついた口調だった。

「……すいません」

　理由など何も出てこなかった。仕事が面白くない。待遇が不満だ。将来売れる見通しもな

い。父親が病気を抱えている……自分の中にある重く深刻な問題が、口に出したとたん、ひ

どく薄っぺらなものに変化して社長の耳に届くのだと思えてきたからだった。それはちょっ

と耐えられなかった。

「男か?」

「いえ、違います」

「朱音は美春みたいな非常識な人間じゃないよな? あんなふうに辞めてってさあ、なめる

んじゃないっていうんだよ。〈パラソル〉にいったいいくら注ぎ込んだと思ってんだよ。今、

それを〈オリヒメ〉が一生懸命回収して尻拭いしてんだよ。それでも追っつかないじゃねえ

かよ」

　朱音と梨絵が美春の捨て石だったように、〈パラソル〉もまた〈オリヒメ〉の捨て石だっ

た。〈パラソル〉の失敗は確実に〈オリヒメ〉の戦略に生かされている。しかし、そこで消

費された才能は決して評価されないということだ。

ミイコは二人の話など聞こえていないとでもいうように、雑誌を気ままにめくっている。

「朱音も二十四だろ。そんな浮ついたことでどうすんのよ。俺に言わせりゃお前はこれまで一度たりともプロの仕事をしてねえよ。二十代も半ばになるんだったらさあ、結婚式の司会やろうとか、モノマネタレント目指そうとか。お前、何かマネージャーにこういう仕事したいって言ったことあるか？　誰だって同じだぜ。売れっ子アイドルだって、十年も二十年もアイドルやれるわけじゃねえんだよ。その後、女優に転身したり、イメチェンしてバラエティに出たりさ、みんな必死に努力してんだよ。それがプロっていうやつだよ。才能なんかみんな一緒なんだよ」

社長の口から出てくる言葉は次第に荒くなっていた。彼はポロシャツの胸ポケットから煙草を取り出し、くわえたそれに火をつけた。ミイコに「ごめんね」と一転、猫なで声で灰皿を借りる。

「朱音ちゃん。この世界に入ったからにはさ、一度は身体張って大勝負しなきゃ。プロの仕事して、この時代に滝中朱音っていう女が目映く輝いていたっていうことを残すんだよ。こ

「あの……」

　社長は励ましているつもりかもしれないが、朱音にとっては疲れた身体に鞭を打たれるようなものだった。

「朱音ならできると思うよ。今までの殻を破ればできるんだよ。君は良くも悪くも良妻賢母タイプみたいなさ、そういう癒し系のキャラで来てるけどさ、そういうの捨てちゃっていいんだよ。むしろそういう呪縛から逃れたときに君の可能性って生まれてくるんだよ」

「ミイコ。予約取れたから行こうか」

　ドアの外から〈オリヒメ〉のマネージャーの声がする。

「今行くから、待っててよお」

　言いつつも、ミイコはそこを動こうとしない。雑誌を読んでいる……ふりだ。早く出ていってくれと、朱音は憤りを胸にくすぶらせた。

「出版社からもさ、カメラマン本人からも、朱音ちゃんを撮りたいっていうの、俺自身、いくつか聞いてるんだよ。雑誌の〈週刊プリンス〉とかさ、広告バーンと打って巻頭カラー五ページいきますってね。君さえその気なら、殻を破る場所はいくらでも用意できるんだぜ」

朱音は息苦しさから口を開いた。

「私、ヌードならとてもできません」

「自分で限界決めんなよっ！」

社長はテーブルを叩いてすごんだ。

「ワンカットで自分のすべてを表現するような仕事をやれって言ってんだよ。そりゃ、ワイ八行ってキャアキャア波と戯れてるとこ撮ってもらって、それで仕事になるんならいいよ。俺だってやりてえよ。そんなのが通用するのは十代の一瞬だって言ってんだよ。遊びなんだよ、それは。朱音もそんな生娘の時代はとっくに終わったんだろ。身体張れずに何がタレントだよ。何がプロだよ。この世界、目立って、あっと言わせて、なんぼだろうがよっ」

強い言葉で畳みかけられて、朱音は何が何だか分からなくなってきた。辞めることさえ簡単にはいかないとは。

いったいどうしたらいいんだろう。

「そろそろ行こうっと」

ミイコが間延びした声で言い、席を立った。

「はーい。いってらっしゃーい」

社長はヤニのついた歯を剥き出しにして笑い、ミイコを見送った。

「ちわあっす。究美社でーす」

フロア内に響く大淵社長の声に顔をしかめながら、湯本弘和は彼のあとに続いて編集部に入った。

「あ、どうも」

グラビア担当の編集者、高部がのっそりと立ち上がった。

金曜夕方の〈週刊さきがけ〉編集部は切迫感のない淡々とした雰囲気がある。校了が水曜日だというから、金曜日では週が始まったばかりという感覚なのだろう。湯本が打ち合わせを終える七時前には、決まって潮が引いたようにフロアは閑散としている。

「ええと、こっちでいいかな」

「ああ、向こうが空いてますから」

高部編集者に促されて、湯本は大淵社長とともに一番大きな打ち合わせ室に入った。楕円

形のテーブルに十脚の椅子が並んでいる。

「例によって……」

湯本はテーブルに着くなり、バッグを開けて、リバーサルフィルムを取り出した。

「一応、三十点ばかりセレクトしてきました」

「ふうん」

高部編集者は鼻から息が抜けるような相槌を打った。湯本から受け取ったフィルムを一枚一枚ライトボックスに並べていく。派手なカラーシャツに短パンを穿いている。まだ三十に達していないというが、ひげが濃く腹が出ていて若さを感じない男だった。まだ自分のほうが若く見えるだろうと、湯本は思っている。

「相変わらずエグいでしょ。ねえ」

高部編集者がレンズでフィルムを覗き込んでいる横で、大淵社長がこめかみに血管を浮かせて笑う。頭頂部が薄く、サイドから長い髪をバーコード状に撫でつけているありふれた中年だ。

「今回は絵や彫刻のモデルなんかを専門にやってる子でね、スタイルは抜群なんだけど、顔はまあ、そこそこなんだよね。だから基本的にバックからのをメインに持ってって、アップはこの喘いでるようなやつ？　で、この素っ裸で座って線香花火をしてるやつなんか、結構

いいと思うんだよね。これ、俺は気に入ってるんだけど」

大淵社長は《週刊さきがけ》のヌードグラビアのページなどを下請けしている編集プロダクションを経営している。

湯本は大淵の編プロから発注を受けるので、孫請けのような形となる。呼ばれ方は「湯本君」「湯本さん」「先生」いろいろだ。

立場の男だが、高部のような若い編集者には業界の先輩を気取って鷹揚に構えている。

クションを経営している。社長といっても社員は二人しかいないらしい。偉くも何ともない

「花火もいいけど、ちょっとこれは暗いですよ。はっきり見えるのは太腿のラインだけだし、うーん、乳首も膝に隠れてるしねえ。難しいなあ。まあ、夏っぽいのはどれか必要ではあるんですけどね」

高部編集者は百人一首でもやっているように真剣な顔でボックスに並んだフィルムを見つめている。

「これとこれ、これはキープかな」

とフィルムを選り分けていく。全体のバランスも考えながら選ぶわけだ。全部で十点前後を選び、デザイナーにレイアウトさせることになる。

不意に部屋のドアが開いて、五十代前半とおぼしき痩せ型の男が入ってきた。

「お疲れさん」

一見して蛇を思わせる男だった。吊り上がった眼に頬骨は張り、顎が三日月型にしゃくれている。髪は地肌に張りつくような短いパンチパーマだった。身体にぴったり仕立て上げたスーツを着て、イタリアもののネクタイを結んでいる。首にはいくつもの筋が走っていた。

「ああ、これは編集長。ご無沙汰してまして」

大淵社長は一歩前に進んで、三回頭を下げた。

「大淵さん。元気そうだねえ。こっちのほうはどう？」

編集長は乾いた笑顔でゴルフの素振りを真似てみせた。喋り方に重さはなかった。

「まあ、このとこはぼちぼちですな。いいパター見つけてね、買いましたんで、ちょっとそれ使うのを楽しみにしてるんですわ」

編集長は大淵社長の話にはろくに相槌も打たず、名刺を一枚出して湯本に向けた。

「一応初めてだったね。本誌編集長の釜地です」

湯本は自分の名刺を取り出し、一礼して交換した。

「ユモトヒロカズっていうのは本名？」

「ええ。漢字では箱根湯本の湯本に、弓偏にムの弘、平和の和です」

「あ、そう」

釜地編集長は聞き流したように気のない返事をした。

「知ってる？　君は俺が見出したんだからね。君の師匠の尾藤（びとう）先生、あの人とは飲み仲間でねえ。どっかにエロい写真撮れるやつはいないかって訊いたんだよ。普通のエロじゃなくて、もっと日本的な淫靡なやつをね。そしたら君の名が出てきたの。俺と尾藤先生がいなかったら君、埋もれたまんまだったよ。百花書店あたりのエロ雑誌で食いつないでたんでしょ。あのへんじゃあ、いくら働いてもかつかつだろうからねえ」

「そりゃもう〈週刊さきがけ〉は名書館の稼ぎ頭ですし、五大メジャー週刊誌の一角を占めてますからな」

大淵社長が愛想を言う。

湯本は高校を中退したあと、四、五年の間、名古屋でぶらぶらと遊んでいた。美濃加茂一家殺傷放火事件での保護観察処分が解けてしばらくは、何人かの女の家を転々としていた。そのとき肌身離さず持っていたのが、兄からアメリカ土産でもらった一眼レフカメラだった。同居の女をモデルにしてヌードなどを撮ったが、最初は現像する場所もなく、ただ単にシャッターを押すだけの真似事でお茶を濁していた。そのうち自宅に現像室を持つ知り合いができて、本格的な趣味に変わっていった。全部女に食わせてもらったし、そういう女を選んで付き合った。

湯本は無難に頭を下げておいた。釜地編集長の言い方は恩着せがましかったが、言っていることはその通りだった。

生活には困らなかった。

写真にのめり込むようになってからは、ぶらぶら遊んでいるといっても、写真に費やす時間がほとんどになった。被写体も女だけではなく、街に出ていろいろ探した。あるときは庄内川の水面を何十枚も撮り、写真の中に流れの動きを浮かび上がらせるのに悪戦苦闘した。またあるときは名古屋の繁華街の裏路地ばかりを歩き、吹き溜まったゴミやそこにたかる動物、汚物や動物の死骸などを好んで撮った。

名古屋に飽き足らなくなると、湯本は突然思い立って上京した。二十二歳になる頃だった。このまま仕事をせず歳を取っていくということに違和感を覚え始めた時期でもあった。東京で写真を扱う仕事ができたらいいとも思っていた。カメラマンという横文字にも憧れていた。東京では調布のボロアパートに住み、高田馬場の小さなビルの一室で運営されていた上級者向けの写真のカルチャースクールに通った。スタジオ撮影などの基本もそこで習った。生活は最初、土木工事などのアルバイトで日銭を稼いでいたが、やがて女を捉まえると、そのヒモになった。自分の稼いだ金で生計が立つようになったのはつい四、五年前からだから、それまではそんな生活スタイルを通していたことになる。

カルチャースクールでは、臨時講師に尾藤辰平が姿を見せていた。熊のようななりをした男で、広告の写真も撮れば、ヌードグラビアの写真も撮る。アート系の写真家として個展も定期的に開く人気カメラマンだった。

　湯本はその尾藤に気に入られ、アシスタントに使ってもらえることになった。アシスタントといっても尾藤クラスになると三人から五人の若手がついている。湯本のやる仕事といえば、機材の運搬や掃除など現場以前の作業だった。セッティングはチーフアシスタントがやり、実際の撮影は尾藤がやる。湯本はただそれを見物しているだけだったが、何回か見ているうちにセッティングのTPOが分かるようになってきた。月日が経っていざセッティングを任されたときは、苦もなくこなすことができた。

　尾藤はときどき無人のスタジオに湯本を呼び、裸にさせて個人的な写真を撮っていた。それ以上のことはなかったので、湯本も言うに従っていた。撮影のあとには決まって五万円をくれた。アシスタントの給料は十万に満たないスズメの涙のようなものだったので、尾藤にすればアルバイトをさせてやったつもりかもしれない。湯本のほうもそれに備えて、ウェイトトレーニングで身体に筋肉をつけた。

　尾藤のところには四年前まで、都合八年ほどいたことになる。立場はチーフアシスタントに昇格していたが、アシスタントのままでいるのも嫌だった。アシスタントはあくまでアシスタントで、カメラマンではない。

　技術的にはプロとしてやっていけるレベルに来ていると思っていたし、これ以上尾藤から新しく得るものはなかった。尾藤は十年ほど前から人気女優のヘアヌード写真集などを手がけて新

境地を拓いたが、作風はメルヘンティックで、湯本にはそういうきれいな写真は何の魅力も感じられなかった。

そうはいっても、新人が仕事を選り好みして営業が成り立つ世界ではない。尾藤のもとから独立した湯本が自分の人脈から取ってきた仕事というのは、やはりヌード写真が多かった。

ヌードなどは、それこそ名古屋にいる頃から果てしなくシャッターの回数を重ねていて、そこに撮り手として煽情的なものを感じなくなっていた。自然とモデルのポーズ、コスチューム、ロケーションなどに凝るようになる。釜地編集長の言うように、概ね媒体は三流ポルノ雑誌だったから、何でもやらせてくれた。

〈週刊さきがけ〉もその路線での発注だった。全国紙に半五段広告が載る雑誌だから、もっと大人しいものかと思ったが、この「女体の森」というシリーズは毎号五ページの袋綴じになっていて、「ハード・エロ」という企画コンセプトであった。今年の四月から編集長に就いた釜地の企画だという。

「『女体の森』、大人気だよ」

そう言って釜地編集長は湯本の二の腕を叩いた。

「あれ始めてから、部数が十万部伸びたからね。実売も上がったし、実質十五万近く伸びてんじゃないかな」

彼はライトボックスに並べられたフィルムに目を落とした。

「これは再来週号の女体？」

「そうです」高部編集者が答える。

「へえ」

レンズに眼をつけながら釜地編集長は嬉しそうに唸った。

「これ、ハメ撮り？　ハメ撮りしたの？」

「いえ、違いますよ」

一枚をつまんで、湯本にニヤニヤと好奇の目を送る。

湯本は作り笑いで首を振った。とても大手出版社である名書館の幹部とは思えなかった。

「あ、そう。いやあ、いいねえ。ああ、これ、湯本さんお得意のやつじゃない？」

釜地編集長は、全裸の女が岩にへばりついている一枚を指で叩いた。

「得意というか、しっくりくるんですよ。岩と女の身体って」

湯本は淡々と答える。

「岩自体が男性的なものを表現してるんだろうね」

大淵社長が訳知り顔に言う。

いろんな被写体を撮った中で、湯本の感性に合ったのは岩とか石だった。大きさはどうで

も構わなかった。つるんとした宝石より、ごつごつした野外の岩がよかった。本能をくすぐるエロスをそこに感じる。それを意識してからはなぜそうなのか分からず、常に疑問を感じていたが、ほどなく思い当たった。

あの事件のとき……。

気良邸を襲撃したときに武器として手にしていた石が、潜在意識の中に残っているのではないか。

あのとき、逃げ惑う気良希代子に投げた石は、湯本の獣欲的な凶暴性が最大限に昂められ、目に見える形になったものだと今なら説明できる。だから湯本にとって硬くいかつい石や岩というのは、なまじの生命体よりはるかに艶かしく、性愛を感じさせる被写体であるのだ。

「でも、このパターンはもう五、六回使ってますからね。今回はいいんじゃないですか」

高部編集者が真面目に言う。

「バーカ。カメラマンの作風なんだから、何回使ったっていいんだよ。この足を見ろよ。長靴だぞ。ブーツじゃなくて、全裸にゴム長。これだけでもうイキだよ」

「ああ、はい」

編集長に押し切られて、高部は頭をかいた。

「まったく、こういうのはまだ高部君あたりには早過ぎるのかな。五十代、六十代には分か

るんだよ。グラビアモデルの豊満な女体より、こういうチープな女体がいいんだよ。クラスメートのちょっと大人しくて目立たないタイプの子を神社の裏に連れ込んでいたずらするような感覚だよ。俺らの頃のエロの原点っていうのはそういうことなんだから。大淵さんなら分かるだろ？」

「まさにその通りですな」

大淵社長は恥ずかしげもなく頷いた。

「これから一杯どう？」

という釜地編集長の誘いを受け、湯本と大淵社長はフィルムの選定を高部に任せて、タクシーに乗った。名書館のある四谷から新宿に走り、伊勢丹と新宿二丁目に挟まれた界隈にある小さな店に入った。地下にある飲み屋で、スナックともバーとも言いがたいタイプだった。テーブル席が三つある。切り盛りしているのはママと若い女の二人だ。ステーキやお好み焼きなどの食事が出て、瓶ビールが数本開けられた。客は湯本ら三人だけだった。

「湯本さんのは、五、六十代のストライクゾーンをズバッと突いてくるんだよ。まだ三十六、七でしょ。見た目はもっと若いよ。それであの感性っていうのは、その手の経験が豊富なんだろうね」

場所を移っても釜地編集長の話題は変わらなかった。

「そりゃ、見た通りの色男ですからねえ。しかも、いまだに独身貴族ときてる。普通の男じゃ経験できない思いもしてるでしょう」

大淵社長も話に乗っている。

「一度に何人相手したことあんの？」

釜地編集長は冗談で訊いているのか、本気で訊いているのか分からない。口は笑っているが、眼は吊り上がったままだった。厚いステーキを歯で食いちぎる。

「はあ……まあ、二人ぐらいですかね」

「ひえっ、二人だとよ。俺なんかソープでもそんな思いしたことねえや」

大淵社長と二人で笑い、美味そうにビールを喉に流す。自分が酒の肴にされていることに、湯本は反吐が出る思いだった。

「でもねえ」と大淵社長が言う。「私は彼が尾藤先生のアシやってた頃から知ってますけど、真面目で好青年。真摯な男ですよ」

「そうかねえ？」

釜地編集長は湯本を舐めるように見た。

「俺は結構なワルだったと見るね。君はどこの出身なの？」

「……名古屋です」

「あ、そう。いいとこだねえ。修羅場をくぐってきたやつは顔つきに出るんだよ。若い頃は栄なんかをブイブイ言わせてたんじゃないか？ これで人一人くらい殺してたりして」

蛇顔をした釜地編集長の口から二股の細い舌が見えたような気がした。大淵社長が腹を揺らして笑っている。

まさかと湯本は訝る。自分の顔にそんな凶暴性がにじみ出ているものだろうか。

十六のときのあの夏の事件を境に、確かに自分は変わったと湯本は思う。それまでは相手になめられたくないというだけの軽薄な強がりが自分を支えていた。街を歩けばあちらこちらで出くわす今の少年たちと同じだ。あの頃の自分は彼らと同じ顔をしていたと思う。

事件を起こし、家裁から鑑別所に送られる間は不安定だった。言ってみれば、さなぎの期間だった。保護観察処分が下って、晴れて元の生活に戻ると、新しい自分に生まれ変わっていた。周りの視線が違っていたのだ。それは軽蔑であり、畏怖であっただろうが、どちらにしても普通の人間を見る目ではなかった。美濃加茂は俺が仕切ると豪語していた同級生の不良仲間も、波風が立たないように気を遣った態度を取ってきた。そういう周囲の反応に乗じ、湯本は得意になって眼に険を作った。ちょっとでも声に怒気を忍ばせると、相手は怯んで尻尾を垂れた。

遠い昔の話だ。もう二十一年経ってしまっている。

昭和五十五年八月十八日。あれは祭りだった。湯本は振り返ってそう思う。熱気にのぼせ、恍惚感の中で踊っていた。そして、しばらくはその余韻が続いた。

だが、祭りはしょせん祭りだ。その勢いで二十一年後の今、三十七歳を生きられるわけではない。世の中の順序も仕組みも覚えた。昔のささくれ立った自分は、少なくとも表には見えないようにしていたつもりだった。

「湯本さん。遠慮しないで飲んでよ」

釜地編集長が湯本のグラスにビールを注いだ。そうしておいて彼は話を変えてきた。

「いや、実はね、今度八月にも〈週刊さきがけ〉の別冊を出そうと思ってんのよ」

「ほお」と、大淵社長が身を乗り出した。

「まあ名前は別冊だけど、本誌とはまったくの別物でね、グラビアを中心にするつもり」

「はあ。それは画期的ですな」

「でしょ。半分くらいはうちでシリーズ化している『列島の一瞬と永遠』なんかのいわゆる硬派ものを拡大してやるんだけどね。で、グラビアアイドルの水着やランジェリーを撮り下ろしで入れて、華やかにいこうとも思ってるんだ。それから隠し球で女優の詩島礼子のヘア（じまれいこ）ヌードをボンと載せる」

「ほおっ。それは目玉になりますねえ！」

「そうなんだよ。尾藤先生なんだけどね。実はスペインで撮ってきたとこなんだ。別冊のあとで写真集を出す予定だからね、プロモーション的なものだよ。まあ、別冊を出すまでは極秘だからね。大淵さんもまだちょっと黙っててよ」

「ええ、そりゃ、もう」

「それでね、残りの枠に『女体の森』を例の袋綴じでやろうと思ってる。モデルは二人で各七ページだね」

「盛大ですな」

「売れるよ、これは。本誌と同じ値段で出すからね。六十万部売り切るよ。それくらい力入ってるからね。『女体の森』も詩島礼子と同じく目玉なんだよ。だからモデルも無名なあれじゃなくて、そこそこ名の知れてる子を持ってきたいんだよね。昔の名前でいいんだよ。むしろ落ち目な子のほうがチープでいいかもしれない。処女ヌードが『女体の森』なんて、それだけで話題になると思うしね。誰か大淵さんや湯本さんのつながりで口説（くど）いてきてくんないかな」

「ああ、いますよ、います。うん、何人かね、候補を当たってみますわ」

大淵社長の調子のよさは、逆に候補などいないと言っているように聞こえた。

「湯本さんも頑張ってよ。ギャラも上乗せするからさ」

釜地編集長は湯本の肩を鷲摑みにして揺すった。

『列島の一瞬と永遠』はいいですね。あれ、好きです」

唐突かと思いながら、湯本は口にしていた。

「ああいうのもやってみたいんですよ。自分の幅を広げたいんです」

『列島の一瞬と永遠』は〈週刊さきがけ〉のグラビアページの一つで、珍しい自然や動物、事故や奇病などの実態をシャッターに収めたものだ。通常、一つのテーマに一ページ、多くても見開き二ページだが、写真の可能性がいかんなく追求されている。

「岩とかね、徹底的に撮ってみたいんです。ヌードだけじゃなくて、もっと本能的、あるいは原始的、土着的な美やエロスっていうものを撮りたいんです。うまくは説明できないんですけど、その一つが僕にとって岩だったりするんですよ」

湯本は自分自身でも珍しく、語調に熱がこもっているのを感じた。

「俺はそんなの見たくないねえ」口を開けて聞いていた釜地編集長が、冷笑を浮かべた。

「じゃあ、湯本さんは『女体の森』はもうやりたくないってこと？　そう言いたいの？」

「いや、そういう……」

「違うよねえ」大淵社長が早口で口を挿んできた。「彼はほら、二十年後、三十年後の話を

してるんですよ。まあ、そういう乾いた写真は六十過ぎなら狙っていいかもしれないと私は思うよ」

湯本の言葉は彼ら二人が放つ見えないバリアのようなものにさえぎられた。釜地編集長が大きく首を振った。

「別に乾いたとかそんなもんじゃなくて……」

「頼むよ、湯本さん。君の売りは日常に近い空気の写真を撮れることよ。その日常の空気の中、束の間でもそこから解き放たれようと色情を昂めて身体を震わせていく女たち。いい意味での安っぽさに身を堕としていく女たち。そういう姿が撮れることよ。うちの買いはその一点だからね。そこだけをプロと認めてるの」

「さすが編集長。正鵠を射ていらっしゃる」大淵社長が感じ入ったように言う。

「まあ、そのうち風向きが変われば、君の希望も考えとくからさ。頼むよ」

釜地編集長はそう言ってもう一度、湯本の肩を揺すった。それから背もたれに身体を預け、大淵社長に苦笑を向けた。

「困ったなあ。もういっぱしの作家気取りだもん」

わざとなのか、湯本にも聞こえるような声で言った。大淵社長は追従して笑っていた。

気分の悪い夜になった。

新宿で捉えたタクシーは、一円のコストも惜しいのか、窓を開けて冷房を切っていた。オヤジたちの脂ぎった毒気にあてられた身体も、生ぬるい夜の風では冷やされない。

湯本は三軒茶屋でタクシーを降りた。十二時だった。狭い路地を歩く。以前、これが三田だった頃は、通りに潜むレンズの眼を気にしたこともあった。撮る側が撮られてはお笑い種だ。しかし、三軒茶屋に移ってからはそんな気配もなくなった。

薄汚れた白いタイル張りのマンションに入り、三階まで上がる。三〇三号のドアの前に立ってチャイムを鳴らした。しばらくして「はい？」という声が聞こえた。

「俺だ」

湯本が言うとドアが少し開いた。チェーンロックがされている。用心深い女だと思った。滝中朱音は湯本の顔を認めると何とも言えない息を一つ吐き、チェーンロックを外した。

「泊まってくの？」

「ああ」

返事をしながら湯本は中に入った。湯本のマンションは田園都市線の青葉台にある。この時間からそこまで帰るつもりはなかった。

狭いたたきに靴を脱ぎ捨て、短い廊下を行く。バッグは部屋の入口に無造作に置いた。部

屋は六畳くらいの洋室だ。どうということはない普通の女の部屋で、過剰なものは何もない。

ただ、大きな姿見が部屋の隅に立ててある。小さなクローゼットで十分足りているのか、壁にかかった服は少ない。都心に近いことが取り柄なだけのワンルームマンションだ。それでも所属事務所に家賃を出してもらっているから住めるのであって、彼女の給料ではとても生計が立たないだろう。

湯本が付き合ってきた中でも、この滝中朱音は飛び抜けて生活力のない女だった。今まで付き合ってきたのは水商売や風俗で稼いでいたり、あるいは成金の娘であったりと、貨幣価値が人より一桁違っている女ばかりだった。だからこそカメラアシスタントのような丁稚奉公をしながらも、三百万、四百万という撮影機材をそろえることができたのだ。

朱音と出逢ったのは四年前、ちょうど尾藤辰平のアシスタントを辞める寸前のことだった。その頃、二十歳だった朱音はアイドルユニット〈パラソル〉のメンバーとして仕事をしていた。盛んにテレビや雑誌に露出していた頃だった。

若者向け男性週刊誌のグラビアで〈パラソル〉がモデルとなる企画があり、撮影を尾藤が務めた。湯本もアシスタントとして撮影先の軽井沢に同行したのだった。

朱音は湯本が少年時代を過ごした美濃加茂市の隣にある坂祝町（さかほぎ）の出身だった。厳しい親から離れたい一心で受けたタレントオーディションで認められ、高校卒業後に東京へ出てきた

のだという。そんなことが分かれば、同郷の気安さから打ち解けるのにも時間はかからなかった。

　彼女は、ユニットメンバーの中では大人しい顔立ちをしていた。面長で眼は細く、唇も薄く、肌は色白で滑らかだ。笑うといっそう眼が細くなって魅力的だったが、苦笑いや困ったような笑いが多く、心から笑うことは少ないように見えた。性格的にどこか影の差したところがある。

　それでも芸能タレントをやっているだけあって、そのへんの水商売の女よりは磨かれた容姿を持っていた。男は湯本が初めてのようだった。そういう女と付き合うのは湯本も初めてだった。それも新鮮に感じた。独立とともに金のない女と付き合うことで、湯本自身、生涯初めて自立を自覚したのもこの頃だった。

　四年経った今、その頃の新鮮な感覚は実感として思い出すこともできない。ただ、そういうときがあったという客観的な記憶があるだけだ。女優などは、二十代後半くらいまでなら、歳を重ねるごとに顔にも艶を増していくのが普通なのに、朱音は漆喰の壁が剥がれ落ちていくがごとく、顔に輝きを失ってきている。朱音の魅力とは若さでしかなかったというような気も、あながち錯覚ではないと湯本は思う。

「もう寝ようかって思ってた」

言葉通り、朱音は小人の絵柄が入った黄色いパジャマを着ていた。

「明日は早いんか？」

「ううん。休みだけど」

湯本は冷蔵庫から小ぶりな缶ビールを取り出し、パイプベッドの縁を背もたれにしてカーペットに座った。靴下とジーンズを脱ぎ捨て、Tシャツとトランクスだけであぐらをかく。

缶ビールのプルタブを開け、一気に飲んだ。

「芸能人も土日休みか。冴えんのう」

朱音が湯本の隣に座り、膝を抱えた。

「一回田舎に帰ろうかと思って。お父さんが入院したらしいから」

「あ、そう」

湯本はあえて詳しくは訊かなかった。そういう辛気くさい話には関わりたくなかった。

「ヒロちゃんも来る？」

「よせよ」

一言で片づけてから、朱音が本気で言っていることに気づいた。彼女は物憂げに目を伏せていた。

「何だ？　親父さん悪いのか？」

考えてみれば、朱音の父親がどんな人間かも湯本は訊いたことがなかった。母親がすでに死んでいることと、彼女が一人っ子であることくらいしか知らない。湯本自身が、どこの誰だか分からないような女と心中した父や、ヤクザの情婦となっていた母のことなど、他人には話したくもないだけに、自然と朱音との間でも家族の話はしてこなかった。

「まだ、悪いとは聞いてないけど」朱音がため息混じりに言う。「そろそろいい機会だし、田舎に引き上げようかなって考えたりもして」

「冗談だろう」湯本は本気で失笑した。「あんなとこ帰って何があるよ。二日いりゃ退屈になって、三日いりゃ暇で気が変になるぞ。いったん帰れば、あとの五十年、六十年を毎日毎日同じことの繰り返しで過ごすんだぞ。あのお嬢さん、都会で夢破れて帰ってきてかわいそうに、なんて隣近所に陰口叩かれてよう。だいたいお前、芸能界が好きでタレントやりたくて東京に出てきたんじゃねえのか？　親父が何言ってるか知らねえけど、家族だからって人の夢を邪魔する権利はないだろ。そんなの、ただの足かせだろ。一回しかない人生を悔いなく生きようと思ったらよ、病院でも施設でも放り込んで、親父には我慢してもらうのが普通だろう。それで不満たれる親なんて親じゃねえよ。違うか？」

「そういう考え方もあるかもしれないけど……」

朱音は困惑したように髪の毛をいじって言う。

「私、この仕事に疲れちゃって。もう続けていく自信もないし。できるもんならフェードア
ウトしたいなって」

「はんっ」湯本は鼻から声を抜いて顔をしかめた。「辞めたきゃ辞めろよ。それだけのこと
だ」

湯本はテレビをつけ、リモコンでチャンネルを替えた。プロ野球のニュース番組で止めて、
漫然とそれを見た。

「世の中よう、たらふく肉食って、顔中脂ぎらせて、腐った息吐き散らすやつが強いんだよ。
そういうやつが政治動かして、経済動かして、文化作ってんだよ」

湯本はほとんど独り言として言っていた。

「言ってみりゃ、世の中の人間は四種類だ。腐った息吐くやつになるか。そいつを利用する
か。そいつに利用されるか。あるいは関わりにならないか。お前はせいぜい利用されるか、
関わりにならないかしか選べねえだろ。俺は違う。利用してやるんだよ」

「何か……」朱音が寂しそうに笑った。「ヒロちゃんも大変そうね」

弱い女に同情的な声をかけられて、湯本に怒りの感情が瞬いた。男女の関係とはいえ一回
りも違う女に、自分の理想と現実との間の溝に生ずる歯がゆさを共感されたいとは思わなか
った。

「お前に何が分かるよ」

「ごめん」

　朱音はあっけなく謝ってきた。彼女はいつもそうだった。たとえ理不尽な状況であっても、自分のこぶしを振り上げるようなことはしない。だから喧嘩も成立しない。弱いなりに防衛本能に優れた女だった。

「ねえ」

　朱音が言いにくそうに言う。

「例えば私が仕事を辞めるとして……まあ、東京に残るとしてさ……私から訊くのも変だけど……ヒロちゃん……結婚とかどう考えてる？」

「あ？」

　湯本は思わず声に棘を乗せた。彼女の口ごもった言い方に、逆に彼女の都合で考えられた人生のレールや将来設計が打算的に浮かんできているのが見えるようだった。それがたまらなく嫌に思えた。

「お前の都合は知らねえよ。何より俺の仕事が軌道に乗らなきゃな」

　家族の話同様に、仕事の話もほとんど朱音にはしてきていない。カメラマンとは知っていても、三流のポルノ雑誌中心に食いついないでいることは、朱音は知らないはずだ。そんな姿

は湯本にとっても仮のつもりだから、話す気にもならない。　写真集も出せず、写真展も開け

ないうちは、写真家と名乗るのも気恥ずかしい気さえする。

「ま、そのうち機が熟すときも来るさ。　親父さんに会うのはそんときでいいだろ」

　朱音が暗い眼をしているので、深い意味もなくそんな言葉をつないだ。

　いつかは自分も結婚するのだろうが、それが朱音なのかほかの女なのかということまでは

考えてもいない。どうでもいい気もする。女にそれほど理想を求める年頃ではなくなった。

　ある意味、ファインダーに収まった女というのが、もっとも女という概念に近い姿だと湯

本には思える。同じ部屋で何年も過ごす女とは、肉であり、怨念であり、欲であり、騒音で

あり、悪臭であった。どんな女も程度の差こそあれ、終いにはそう変わっていく。

　ただ、その中で朱音という女は一番遠慮があることは確かだ。

「いい方向に回っていけばいいよね」

　朱音がぽつりと呟く。それが夢だと分かっていながら言うような口調だった。

「でもさ、私、タレントを辞める時点でヒロちゃんに嫌われるかもしれない」

「……何で?」

「タレントって辞めるのも簡単じゃないみたいで。うちの事務所が特殊なのかもしれないけ

ど……コストがペイできてないから、ヌードグラビアの仕事してからじゃないと辞められな

いようなこと言われちゃって……」

「はんっ。ありがちな話だな」

「何か、いろいろ言われてるうちに頭の中がグルグルして、分かんなくなっちゃってさ。はい分かりましたって言っちゃったんだけど、やっぱりどう考えてもできないよね……本当どうしようかなって……困っちゃった。断ったほうがいいよね。もう強引にでも断ったほうが……」

朱音の弱り切った横顔を見ているうちに、湯本の中で業ともいえる制御不能な感情が頭をもたげてきた。葛藤はあったが、一瞬で、いかにも弱かった。

「俺に撮らせろよ」

湯本の声に、朱音は敵を発見したウサギのようにビクッと顔を上げた。

「俺が撮るんなら文句ねえだろ」

「ヒロちゃんが……?」

「いい企画が入ってんだよ。〈週刊さきがけ〉って知ってんだろ。名書館のよ。あれのグラビアページだよ。あれだったらお前んとこの事務所も喜ぶんじゃねえか」

「ちょっと待ってよ。私はやりたくないって思ってるし、ヒロちゃんに撮られるのって想像できない。何か二人の間にビジネスが入るのって哀しいじゃない」

「冗談だろ。ビジネス結構じゃねえか。俺はカメラのプロとして飯食ってんだ。俺の情熱を注いでんだよ。だったらそれを受け止めようって思うのが普通だろ」

「私、別にカメラマンのヒロちゃんが好きなんじゃなくて、一人の人間として好きなだけなんだし」

「変な理屈こねるんじゃねえよ。俺はカメラマンであって、カメラマン以外のものじゃねえんだ」

「そんな……」

煮え切らない朱音を見ているうち、湯本は次第に彼女を攻撃の対象としか思えなくなってきていた。知らず、口調が荒れる。

「そう言えば、お前よう。昔、個人的に撮らせろって言ったときも、あくまで拒みやがったな。俺は自分の女にしたやつは全部撮ってんだぜ」

「そんな……」

朱音は眼に怯えの色を宿していた。呼吸とともに肩が動く。

「それはだって、そういうのはのちのちトラブルになるからって事務所に教えられてたし」

「そんなにカメラが嫌いか?」

「嫌いじゃないけど……ああいうのって何時間もパシャパシャ撮られてるうちに、頭の中がおかしくなって自分を見失いそうになる気がするし……」

「いいじゃねえか。恍惚感だよ」

「恍惚感とも違うのよ。抜け殻のような自分を感じるの。できた写真を見るとさあ、何か別の人間に見えたりして。それに、カメラって他人の視線なんだって分かるのよ。他人は自分をこういうふうに見てるんだって思ってぞっとするの。だから私……そんなこと平気で思うから、タレントにも向いてないんだって思う……」

「問題ねえよ」

湯本はろくに彼女の言い分を咀嚼することもせず、一言で切って捨てた。

「他人の視線じゃねえ。俺が撮るんだ。俺が素の滝中朱音を撮ってやるんだよ。俺にしか撮れねえ写真だ」

朱音は黒い髪をひらつかせて首を振った。そして不意を衝くような強い眼で湯本を見る。

「ヒロちゃん、自分の彼女の裸が雑誌に載ってもいいの?」

「いいじゃねえか。それこそテレビ番組の賑やかしにちょろっと出たり、毒にも薬にもならねえ歌を歌ってるよりよっぽど真っ当なタレントだぜ。自分をさらけ出すっていうのはよ、最高のアートじゃねえか。誰もができるようでできねえんだ。プロならよう、着飾るだけじゃねえ、脱ぎ捨てる芸も必要なんだよ」

「私はアートなんてよく分からないし、本当、これを受けちゃうと自分が自分でなくなっち

やうような気がして怖いのよ」

「笑われるぞ、お前」

暗い声を吐きながら、湯本は立ち上がった。意固地な子供を相手にしているような気がして、たまらなく苛立っていた。

「そんなに今の自分が大事か？　そんなに今の自分が好きか？」

湯本は自分のバッグからポラロイドカメラを取り出した。ふらりと朱音の前に立つ。

「そんなに汚れたくねえか？　分かんねえな、そんなこだわりはようっ」

湯本はカーペットに膝をつき、カメラをかたわらに置いて、朱音の両足を引っ張った。

「ほら、後ろ向けよっ」

「いや、嫌だっ」

朱音の叫びを聞かず、彼女のパジャマズボンを下着ごと足首まで引きずり下ろした。自分のトランクスも下ろす。朱音の腰のくびれに両手をかけて、白い尻を引き上げた。知らぬ間に、腰も尻も肉づきが増しているような気がした。抵抗力は大きくなかった。

湯本は指で手荒く位置を確認し、その指に添わせるように欲情したものを埋めた。

「いやあっ。こんなの嫌だよっ」

朱音が嗚咽を洩らす。

「いつものはよくて、これは嫌なのかよっ？　だから、そのこだわりが分かんねえんだよっ」

湯本はポラロイドカメラを取り、自分の真下に向けてシャッターを切った。

「これがお前なんだよっ。ほら、見ろよっ」

湯本は腰を突き立てながら、写真を朱音の目の前に叩きつけた。それを見たのか見なかったのか、朱音はただ首を振り、何かに耐えるような声を洩らした。

写真を叩きつけた瞬間から、湯本は急速に冷静さを取り戻した。欲情の昂まりも消えて、ただ、腰を動かしていた。

安い白身の魚肉を食っているように、淡白で味気なかった。こんな女だったろうか。前はもっと肌の滑らかさや柔らかさなど、活きた感覚があったような気がする。やはり太り過ぎだろうと湯本は思った。

途中から現実を離れて、気良希代子のことを夢想していた。湯本の手からこぼれた少女は、半身不随の身となった。元気ならばもう一度会ってみたいものだと思ったが、それも叶わなかった。彼女が自分の命を絶ったのは、あれから三年後か、四年後か。

結局、あのときのような頭の中が吹き飛ぶ感覚は、以降一度もなかった。あの感覚も今となっては幻のようなもので、頭の中で刺激的な理想を再生産しているに過ぎない。朱音の身体は途中か

湯本は姿勢を変える気も起きず、ずっと同じように動き続けていた。朱音の身体は途中か

　ら横向きに崩れてしまった。顔は乱れた髪に隠れ、どんな表情をしているのかは見えなかった。かなり長い時間を動き、湯本はほとんど無理やりに最後までいった。

　身体を離した拍子に、朱音がすすり泣きを始めた。

「お前、贅肉ついてるぞ」

　湯本は朱音の隣に倒れ込んで、意味もなく舌を打った。しばらく息を落ち着けた。身体がだるかった。

「俺だって、いつまでも女の裸撮り続けるつもりはねえんだよ」

　天井を見ながらうわ言のように言う。

「岩を撮りてえんだ。岩をよ。お前、ライン下りに乗ったことあるか？　木曾川のよう、岸壁を仰ぎ見て、水しぶき上げて。俺が乗ったのは小六のときだったな。いろんな形の岩が川面から突き出てて。ライオンやら何やらって動物に見えたりしてな。あれ、面白かったな。岩って生きてんだよ。苔むして、虫がへばりついて色っぽいしな。岩の生きた写真撮ってよ、写真展開くんだ。俺はそういう可能性を摑もうとしてんだよ。そのために今はこういう仕事をしてる。《週刊さきがけ》にもチャンスの芽はあるんだ。俺は勝負してんだよ」

　湯本は自分のため息を聞いた。朱音の反応は何もなかった。

　そのまま湯本は嫌な倦怠感(けんたい)に引きずり込まれて、深い眠りに落ちた。

6

個室のドアが静かにスライドし、庄村利光がタヌキにも似た、とぼけた顔を覗かせた。守年を見て、照れたように笑う。

「ショウさん」

滝中守年は読んでいた週刊誌を枕元に置き、友人を出迎えようと身体を起こした。

「ああ、そのままでええって」

庄村は籐籠にアレンジした花を片手に、カットメロンのパックと雑誌をもう一方の手に持っていた。ネクタイ姿だった。

「いい部屋取れたなあ。うん。ここは眺めもええ」

庄村は荷物を置き、窓の外を見やって言った。

「まあ、贅沢する気もなかったけど、大部屋じゃあ、隣のじいさんの声がうるさくってな。ちょうど安い個室が空いたっていうから入れてもらった。おかげでちょっとは寝れるように

「なったわ」

「ふむ」

庄村がしみじみと守年の顔を見る。

「痩せてきとらんか？」

「ちょっとずつな。食べようという気はあるんだが、どうしても入ってかん」

「病院の飯はどうしても美味くないでなあ。何でもいいから腹に入れんと。ここの個室はトイレがないんだな」

ベッドの脇にあるポータブルトイレを認めて、庄村が部屋を見回した。わざわざ探すほどの広さはないから一目で分かるだろう。

「歩いて外のトイレに行けんこともないけど、夜中は点滴のスタンドに引っかかって危ないんだ」

「大変やなあ」

庄村はパイプ椅子に腰を下ろして、一つ息をついた。かたわらのビニール袋をちらっと見る。

「洗濯もんが溜まっとるがね。どうすんだ、これ？」

「時間制の家政婦センターに頼んである。三日に一回取りに来て、洗濯してもらう。どうも

前の手術をしてから腹が緩くてな。　汚すときも多いが、ちゃんと洗ってくれるから助かる

わ」

「朱音ちゃんは帰ってきとらんのか？」

「当てにはしとらんわ」

　入院してから十日が経とうとしている。いろんな検査に引っ張り回されて、五日目から抗がん剤の点滴が始まった。それほど強い薬ではない。　副作用も食欲不振や口内炎がある程度だ。　強い薬を使って勝負を懸ける時期はどうやら逸してしまったらしいと守年は理解していた。

「ほら、釣り雑誌持ってきたわ。　もう、鮎も大きくなってきとるらしいぞ」

　守年は雑誌を受け取り、見るでもなくパラパラとめくった。

「ショウさん、今年は行ったんか？」

「行けすか。　一課長になってから一度も行けんようになったわ」

　庄村は二年前から岐阜県警本部の捜査一課長として、県下で発生する殺人事件などの捜査の陣頭指揮を執っている。　叩き上げで警視まで昇っており、守年の同期の中では出世頭だ。

「仏の庄村」と呼ばれる通り、偉ぶりも強引さもない。　部下を自由に泳がせるタイプである。

昔は二人で肩を並べて聞き込みに歩いたことも多かった。守年が我を通そうとよく刑事部屋の中で軋轢を招いたのに対して、庄村は人当たりがよく、いい意味で処世がうまかった。誰にでも好かれる男だから、一国者と揶揄される守年とも馬が合う。口の固い容疑者を落とす名人でもあった。

いつしか庄村の階級は上がり、守年の上司になった。忙しい捜査の合間に試験勉強する庄村に、守年はずいぶん冷やかしの言葉を浴びせたものだが、今となっては素直にシャッポを脱ぐほかない。自分が巡査部長のままでいることには何の引け目も感じないが、同時に庄村の努力へは拍手を送りたいと思う。自分にはできない人生設計をこの友人は成功させている。それは心から嬉しいものだ。

守年は長いこと県警本部の捜査一課に勤めていたが、庄村一課長のもとで働いた期間は一カ月もない。すぐに大腸がんで入院することになり、退院して復職してからは自宅に近い加茂署に異動させられた。普通なら左遷というところだが、これは庄村の計らいだった。半病人に務まるほど、一課の仕事は楽ではない。加茂署でも刑事課の刑事として働かせてもらえるだけ、守年はありがたいと思っていた。

「本当はなあ、そろそろ本部に戻ってきてほしいと思っとったところだったんやで」

庄村が残念がる。

「俺もそろそろ異動やろ。あと二、三年、関か各務原あたりの署長をやって上がらせてもらうところや。その前にモリさんを一課に戻しておきたいって思っとったんや」

「俺はもう捜一の刑事なんぞ務まらんわ。体力はもちろん、気力も湧いてこん。腰が痛くてな、座っとるだけでもつらいくらいだ」

「寂しいこと言うな。無理しろとは言わん。俺はただ、一課の若手に刑事というのがどういう人間なのかを見せてやりたいんだわ。ここ一、二年で俺が各署から引っ張ってきた連中がおる。そういうのに何かを残してやってほしいと思っとるんだ」

「ショウさん、ちょっと疲れが溜まっとらんか？　顔色が悪いぞ」

庄村は話をはぐらかされて、口を尖らせた。

「モリさんに心配されたないわ」

守年はその様子を見て、一人笑った。

「なあ、ショウさん。俺は退院して仕事がえらいと思ったら、さっさと手帳返そうかと思っとる」

庄村は守年の顔をしばらくまじまじと見つめていた。

「そうか」彼は静かに言う。「一国者がえらい弱ったもんやな。あと三年かそこらやないか」

「しがみついとるのも格好悪い。それなら一人で静かに過ごしたほうがいいわ」

「そうか」庄村はもう一度、同じように呟いた。

「それもええかもしれんな。羨ましいわ。俺も定年になったら再就職せんとゆっくりしようかな」

庄村は屈託なく笑った。

「なあ、モリさん。暇になったら二人で鮎釣りに行こう。夏になったら毎日な。ガンガン瀬じゃなくてよ、爺さんらしく吉田川あたりのとろっとした流れに立ち込んでな。帰りはちょっと足を伸ばして明宝の温泉に浸かってくるんや。俺が運転したるでよ。ええやろ。そりゃ贅沢や。金もそんなかからん」

「ショウさん。悪いけど俺はそんなに待てんと思う」

冷えた声が守年の口から出た。庄村がまた守年を見つめた。そして眉をひそめる。

「何や。そんなに悪いんか?」

「ああ。前のが転移してだいぶ進行しとるようだ。俺は今年の冬はよう越さんかもしれんと思う。自分の身体は自分が一番よく知っとるわ」

「そうか」庄村はため息混じりに言い、肉のついた背中を丸めた。「モリさんがそう言うなら、そうなんやろう」

しばらく庄村は口をつぐみ、ベッドのどこか一点に目を落としていた。

「そんなに急がんでもええやろうに。亜矢さんが寂しがっとるんかなあ」

「親父もお袋も送って、姉貴も早かったけど送った。亜矢まで先に逝きやがって。もう思い残すこともないわ」

「朱音ちゃんがおるやろう。モリさんが見守ってやらんと。まだ一人にさせたらいかんで」

「あいつももう子供じゃない。親なんてうるさいだけで、おらんでもちゃんと生きていく。何にも心配しとらんわ」

「そんなことあるか。あんだけ心配しとったくせに」

庄村は駄々をこねるように言った。そしてまた沈黙を挿み、「そうか……」と力の抜けた声を出した。

「俺も実を言うとそんなによくはないわ。身体中ガタがきとる。眠れんしな」

庄村の頰はふっくらとしているようで、よく見ると肌が染みや皺で荒れている。こんな顔だったかと、庄村の顔を初めて見るような感慨を抱いた。お互いに歳を取ったものだ。

「あんまりモリさんにジロジロ見られると気持ち悪いな」

言って、庄村が鼻をかいた。

人の顔を憶えていないというのが、守年が若い頃から持っていた欠点だった。面に弱い。それさえ克服すればお前は名刑事だと先輩たちから言われた。どうやら自分には相手の顔より立ち振る舞いや全体的な風貌、雰囲気でその人間性を判断する癖がついてしまっているのだと守年は思う。なかなかこういうのは直らない。だから親友の顔にもときどき変な発見があるのだ。

「忙しいんか?」

「ああ。一課長なんてなるもんやないわ。今でも帳場が四本立っとる。今日は多治見、明日は高山や」

「高山は遠いな。休みもなしか」

捜査一課長は警察の中で一番の花形ポストであるが、同時に一番多忙な役職でもある。ポストに興味のない守年としては、少し気の毒に思う。元気ならば庄村を支えてやりたいとも思った。

「あんたも胃薬が手放せんたちだろ。気をつけないかんで」

守年がそう言うのに、庄村は無理に笑顔を作った。寂しげだった。

彼はカットメロンのパックを開けると、爪楊枝を二本刺して守年の手元に置いた。メロンは庄村の好物だ。守年より先に、庄村が一つ口に入れた。

「一課長ってな、捜査に関わっとっても、事件がどっか遠い世界の話のような気がしてくる。被害者の顔も加害者の顔も見えん。写真一枚見ても胸に迫ってこんのや。現場に出んからやなと思うけどな。現場に出たくてもそんな時間、どこにもないんだわ」

守年もメロンをもらった。熟し切っていて、十分な甘さがあった。

「平刑事だった頃が一番よかったか？　皮肉なもんだな」

「本当やな。モリさんと頑張ってた頃が一番燃えとった。憶えとるか。二人で夜半まで議論を闘わせた美濃加茂の事件。夫婦が死んで、子供が残った……」

「ああ。忘れるわけがない。あれから二十年以上経っとるか。そんでも夏と言えばあれを思い出すな」

守年も庄村も三十代の後半に差しかかって、刑事として一番脂の乗っていた時期だった。一課の刑事を長くやっていても、複数の被害者と複数の加害者が出る大きな事件にはそうそう当たるものではない。そういう意味でも十分記憶に残っている事件だった。

「あの……無期刑食らった男……」

庄村がこめかみに指を当てて記憶をたどる。

「荒勝明か？」

「そうそう。あの荒が逃走中に自殺を試みたとかいって、本当の自殺かそれとも情状酌量を

狙ったパフォーマンスかとずいぶん議論したな。手首に痕はあったけど、どう見てもかすり傷程度やった。それに荒が主犯かどうかで、捜査員の間でも意見が真っ二つに割れたな。モリさんは強硬に時山主犯説を立てとった。俺は荒が主犯やと思っとった」

「俺も本当のところは特に確信があって主張しとったわけじゃない。勘みたいなもんだ。ただ、荒という男の性格や過去の行状からすると、犯行に走るんなら衝動的な手に出るのが普通だわな」

「あの事件は十分衝動的やで。なおかつ計画的な側面もはらんどるっちゅうことだ。公判の判決理由にもそうあったわ」

「それはいいけどな。ただ、坂井田みたいに野犬のような少年時代を送ってきた連中を統率するとなると、衝動的というのは当てはまらんと思うんだ。あれは計画的な主犯と衝動的な手下が起こした犯罪だ。そうすると、ぴったりくるのは時山次郎ってことだ」

「ただ、生垣から出てきたのが荒の包丁やろ。指紋も荒のしかついとらん」

「時山なら残さんだろ」

「守年が言うと、」庄村は低く唸りながら黙り込んだ。その顔を見て守年はくすりと笑った。

「あの頃みたいだな」

「本当や」庄村もおどけて笑う。

「荒もそうだけど、被害家族の子供のことも忘れられんな」

「ああ」庄村は深く息を漏らした。「あのお姉ちゃんと坊やな。モリさんは結構相手してやっとったな。朱音ちゃんがまだ三歳くらいやったから身につままれたんやろう。二人とも、よくあれで命助かったと思うわ。あれの悲劇やったのは、縁者に誰も面倒見る人がおらんかったってことだ。まあ、片方半身不随で片方顔がボロボロじゃあ、気の毒やけど面倒見たないいうのも分からんでもないけどな。そんでも、誰かが支えてやっとりゃ、お姉ちゃんも自殺なんかせんかっただろうに……」

病院で一通りの治療が済んで、気良姉弟の姉は下半身の麻痺と複数の心身症が残った。弟の火傷の痕も当時の医療技術ではいかんともしがたかった。二人とも、これ以上の改善は見込めないというところで病院を出され、関にある養護施設に収容された。姉の自殺がすべてを物語っているような気がする。

そこにどれほどの幸せがあったか。姉弟寄り添うように生活していたようだが、

「あの二人、見たこと聞かしてくれって言っても、ずっと無言やったなあ。まあ、それもしょうがないやろなあ」

そう言いながら、庄村が最後のメロンを口に入れた。結局、七割方は庄村が食べてしまった。

「モリさんもあの姉弟はさすがに持て余したやろ」

「ああ。いろいろ喋りかけたんだけどな。心は開いてくれんかった。俺の力不足だったわ。あれは悔いが残っとる」

「そりゃ、警察官なんて怖そうな連中の中で、さらにモリさんみたいなかつい顔したやつが相手になったんや。親はおらんし、子供にしてみたら怖かったと思うわ。拒絶しても不思議はないわな」

「そうだな。子供っていうのは独特の世界があると思った」

「子供は大人なり、大人は子供なりってな。同じようで別、別のようで同じ生き物や」

庄村は我に返ったように腕時計を見て立ち上がった。

「もう行かなかん」

「悪かったな、忙しいとこ」

守年が見送りに立とうとするところを庄村は手で制した。

「ええて、ええて。気い遣ってかん。またそのうち時間見つけて来るでよ。何か欲しいもんあったら言ってくれ」

「そうか」

守年は考えるふりをした。

「また、メロンがいいな」

そう言うと、庄村は子供のような笑顔を残して部屋を出ていった。

7

滝中朱音は五三〇号室の前に父の名前がかかっているのを確認して、そのドアを引いた。

父はベッドの上で毛布も何もかけず、半袖の青いパジャマ姿で横になっていた。個室にはほどよく冷房が効いていた。雑誌を読んでいるのを見て、朱音は少し安心した。

「ああ、お帰り」

父が雑誌から顔を離し、次いで身体を起こした。難なく座ったので、朱音はまた一つホッとした。短い髪の後頭部に寝癖がついている。抜けた髪が数本、枕の下に敷いたバスタオルに絡みついていた。薬で抜けたのか、洗髪をしていないために抜けたのかは分からない。異常な量の抜け毛ではなかった。

ただ、顔は正月に会ったときからずいぶんと頬がこけているように見えた。里帰りのたび

に感じる年波（としなみ）の範囲を超えている。

「ただいま」

バッグを膝に置いてパイプ椅子に座った。

「家には寄ったか？」

「うん。荷物置いてきたから」

「別に異常はなかったな？」

「うん。大丈夫」

「そうか……」

と父が言ったのを最後に、会話が途切れた。土産も何も持ってこなかったことを何か言われるかと思ったが、それはなかった。様子も分からぬまま、適当に何かを買ってくることはできなかった。

「どう？」

何も言葉が見つからず、ただそう訊いた。

「うん」父は曖昧に応えた。「今んところはまだいいけどな」

小さな安堵も、やがて沈黙が生む気まずさの中に溶けていった。四年前に母が急逝したとき、朱音はこれまで母を介してしか父と会話してこなかったことに気づかされた。あまりに

大きな損失に呆然とするだけで、それをどう埋めていくかということは今においても手つかずになっている。

「さっき庄村さんが来てくれてな、その花を持ってきてくれたわ」

「へえ」

庄村さんは名前しか聞いたことはないが、父の同僚だ。カーネーションにかすみ草に、そのほか名前も知らない花が組み合わされたカラフルできれいな籠だった。ああ、自分もこういう花を持ってくるんだったと思った。

「お前のこと、心配しとったぞ。一人でちゃんとやれとるかって」

「私なら心配ないって。子供じゃないんだし」

そう返す一方で、まだまだ子供である自分を実感する。心配する立場なのに励ましの言葉一つかけられず、逆に心配されてしまっている。

「仕事はどうだ？　まだあれ、続けとるんか？」

「うん」

朱音は短く答える。父の言葉にはタレントの仕事に対する嫌悪感が見え隠れしていた。芸能界入りする前からそうだった。応援してくれたのは母だけだった。

「いい加減ああいう世界も甘くないことが分かったろ。脈がなけりゃ、見切ることも大事だ

でな。別にこっちに帰ってこいとは言わんけど、普通の会社に勤めたほうがいい。お前には

そういうほうが合っとる。普通が一番いい。お父さんの願いはそれだけだわ」

「そんなふうにはいかんよ」

今の仕事に幻滅していることは確かだが、父の言う「普通」という言葉もそれ以上に魅力

がなかった。何の色も匂いも感じられない。何も心に響くものがないどころか、反感さえ覚

える。「普通」とは、「老後」に近い言葉だと思った。タレントを辞めれば、あとは「普通」

という選択肢しかないのか。そうだとすれば、あれだけ辞めたいと思っていた気持ちも揺ら

いでくる。

「私……まだやり切ってないし、まだこれから勝負を懸けてくんだから」

嘘だと思いながら言う。

「お父さんもあんまりテレビ見れんけどな、最近はほとんど出てこんのじゃないか。歌も出

しとらんようだし」

もともとテレビは好きではなく、NHKしか見ない人だった。母はまめに朱音の出演番組

をチェックしてビデオ録画していたようだったが、父はそんな柄ではない。それを知ってい

て、母は「紅白に出れればいいのにね」と言っていたが、果たせなかった。

「今は何をやっとるんだ？」

「何って……いろいろ」

「大したあれでもないだろ。お父さんは見んでも分かる」

「そんなことないよ。この年代から仕事の幅も広がってくるんだから。今から新しいイメージを作ってくのよ。今までは与えられたことをただやってきただけだけど、これからは一歩上の挑戦をしてかないかんの。グラビアでも何でも大人の仕事をこなしてかなきゃ」

「裸になったりするのはいかんぞ」

父が朱音の先を制した。強い口調ではなかったが、はっきりとした声だった。

「頭ごなしに言わんといてよ。ヌードだって立派な仕事なんだし、もちろん一流の雑誌でやるわけだし……」

「いかん、いかん」今度は強い調子の声だった。「自分を堕とすようなことはすんな」

「堕とすんじゃないって」朱音も声を大きくした。「挑戦するんだってば。私はプロなんだから。プロのタレントとして表現の可能性を追求していくには、当然通らなきゃいけない仕事なのよ」

「何がプロだ。そんな聞こえだけの言葉で取り繕うような生き方はするな。そんなの雑誌に載ってみろ。お父さん警察におって……」

父はそこまで言って、なぜか喋るのをやめてしまった。

「警察なんか関係ないじゃん」

朱音が悪さしたらお父さんが警察クビになるんだぞ……小さい頃から聞かされ続けた父の口癖だ。友達と喧嘩したとか、学校の帰りに買い食いしたとか、そういうときにさえ出てくる言葉だった。気づくと、悪さどころか冒険もできないような人間になっていた。その息苦しさから逃れたくて出てきた東京だった。

「お父さん、いつもそうなんだから」

「警察はそんな甘いもんじゃないんだ」

父は呟くようにそう言い、「まあ、そんなことはどうでもいい」と自分の独り言を打ち消した。

「どうしようもない馬鹿だな」父は眼をつむって嘆いた。

「お父さんには分からんのよ」

「世の中には自分の都合だけで飾った言葉並べて、弱い人を食いもんにする連中がおる。そいつらに騙されてボロボロにされる人はその何倍もおる。そういうのをお父さんは見てきとるんだ」

「業界の仕事を犯罪と一緒にしんといてよ。私は自分の意思でやるの。悔いを残したくないから」

朱音はだんだん声を落とし、静かに立ち上がった。

「私のことは私が決めるから」

バッグを肩にかける。

「今日はもうお父さん怒らせるだけだから帰るわ」

聞こえたのか、聞こえなかったのか分からなかったが、父からの言葉はなかった。どうしてこんな、しなくてもいい喧嘩をせねばならないのだろうと哀しくなる。父の言う通り、自分はボロボロにされる人なのかもしれない。しかし、たとえそうだとしても、朱音はそれをこの場で認めることはできなかった。

8

アパートの裏手で不穏な物音が聞こえた。

殺人鬼が来た……。

とうとう来やがった。

坂井田昇の身体を戦慄（せんりつ）が包み込んだ。仰向けに寝転がったまま、手を伸ばす。必死に伸ばして、脱ぎ捨てたジーパンの下に隠されていたナイフシースを外した。百二十ミリのブレイドが右手の先で光る。

全身から汗が噴き出していた。暑いのもある。恐怖も。そして薬も切れている。身体が思うように動かない。だるくて仕方がない。まるっきり不意を衝かれた格好になった。

立ち上がるのに数十秒を要した。それでも殺人鬼に押し入られれば、一撃を見舞えるだけの準備は整った。このときのために必死になってナイフ術を会得したのだ。

窓に近づく。窓はぴったりと雨戸で閉ざしてある。ガラス戸に耳を押し当て、外の気配を窺う。

物音はもう聞こえてこなかった。しかし、殺人鬼はすぐそばに必ず潜んでいると確信めいたものがあった。これまでのように、猫だの風だの鳥だのという音ではない。

坂井田は神経を集中させ、産毛を刺激してくるような波動としか言いようのない感覚を読み取った。気配は裏手からアパートの横を回り、表へと動いていく。そう捉えた。泥沼を泳ぐようにもがいて部屋を歩く。呼吸が乱れ、肺

このままでは殺られると思った。

粉はどこいった……？

が痛い。

途中、雑誌につまずいて膝からうつ伏せに転がり、かびくさい畳に頬を押しつけた。慌てて爪先に力を入れ、腰と膝を浮かせる。と、顔にものすごい重みが加わって、坂井田は横転した。

こうしている間にも殺人鬼が入ってくるかもしれないと思うと、ひどく気が焦った。ばらばらに動く手足を何とか操って立ち上がる。よろめきながらも台所にたどり着いた。曇りガラスの向こうに人影がないか恐々見たが、幸いにもそのようなものは映っていない。ここの窓は外から鉄条網を巡らしてある。殺人鬼対策として坂井田が自分で張ったのだ。だから少し安心だった。

水道の水を出す。洗わずに流しに置いたままになっていたコップを取り、水を注いだ。生ぬるい水を喉に流し込む。

「ああ、まずいっ」

坂井田はあまりの苦さに顔をしかめた。荒い呼吸を整え、上の収納棚から小さなプラスティック容器を取り出す。粉はもうほとんど残っていなかった。スプーンに載せてライターで溶かし、気化したものを一粒分も残さず鼻孔に吸い込んだ。

急速に身体の中から気だるさが消えていく。手足が自由に動くようになった。頭も回り始めた。

たたきに降り、サンダルを履く。ナイフを右手に持ったまま、チェーンロックを外した。ゆっくりと解錠してドアを開ける。同時に下駄箱に立てかけておいた金属バットを左手に持った。

外には誰もいなかった。空き地を隔てた向こう側の畑に婆さんが座っているだけだ。念のためにアパートの横手と裏を覗く。誰もいない。近くの木にカラスがとまっている。あれだろうかと独りごちる。

結局、いつもと同じだった。これまで何十回と殺人鬼の気配を感じ取ったが、実際には錯覚だった。まあいい。錯覚と気づくだけ、まだ自分はまともだということだ。

鍵とチェーンをかけ直して、部屋に入る。時計を見ると二時だった。夕方になったら、名古屋まで粉のおかげで頭が冴えてきた。

を買いに行こうと思った。

昼飯を食いたくなり、サンダルを履いてアパートを出る。もちろんナイフをポケットに忍ばせることは忘れない。太陽の光線に目が眩んだ。地面が異様に白く見える。蝉が自分の肩にとまっているような気がした。そのくらい近くで鳴き声が聞こえる。

ポストを開けると、封筒が一通入っていた。会社からだ。会社といっても、一月も働いていない。この五カ月はずっと休んでいる。

コンビニまでの道を歩きながら封書を開けた。労災の休業補償給付の申請書だった。一月に一度、送られてくる。これを病院に持っていって働けないという証明をもらえば、給料の八割がもらえる。

坂井田は急性腰痛症とかいう傷病名で休業していた。プラスティックを成型するための金型を加工している工場で、製品の入った箱を移動させる作業があった。持ち上げようと身体を起こしたところで、絶叫しながら腰を押さえて倒れ込んだ。あとは誰が何と言おうと、動かず、ただ呻いていた。会社の車で連れていかれた病院では腰に湿布を張られただけだったが、家から近いとか何とか言って移った病院では背中全体に炎症を起こしているという診断で、全治三カ月の診断書を書いてくれた。中学の頃、一緒にシンナーを吸ったこともある大木という男がやっている病院だった。何とか医科大という医学部の中でも特に偏差値の低い大学を出て、親の病院を継いだのだという。

この会社の前も、大木は「自律神経失調症」という病名だけで一年半、ただ飯を食わせてくれた。これは健康保険だったので給料の六割しか出なかったが、医者の力は神通力のようなものだと思い知らされた。持つべきものは友だと思った。

ただ、この病気はまったくの嘘八百でもない。三年ほど前から坂井田は殺人鬼の目に気がついた。誰かが自分を見ている。それを感じたのだ。ふくろうのように暗さを内に秘めた目

だ。その眼を実際に見たわけではない。その視線を感じたということだ。職場で、街で、アパートで、至るところで感じた。一度など街で不審な男を追いかけたことがある。そいつは脱兎のごとく逃げ去っていった。

坂井田はそれを殺人鬼だと断じた。理由も何もない。殺気を感じたからだ。

それを意識するようになってから、坂井田の神経はおかしくなっていった。不眠が続き、幻聴が聞こえた。覚醒剤に手を染めたのも、その苦しみから逃れるためだった。覚醒剤を使うようになってから、やっと坂井田は殺人鬼に向かう姿勢が取れるようになった。返り討ちにできると自信が深まった。

薬は名古屋の栄にあるセントラルパークをうろついている外国人から買いつけてくる。仕事のほうはすっかり怠け癖がついてしまったが、薬があればほかは何もいらなかった。コンビニに着く。しばらく冷房に涼んでから、坂井田は牛丼とビールを買った。ついでにエロ雑誌と《週刊さきがけ》も買う。《週刊さきがけ》であの湯本弘和がヌード写真を載せていると聞いたのは、時山からだった。湯本が成功しているのは、どちらかと言えば不愉快に思える。

二十年前、彼は時山がかばいにかばった結果、犯行についていった見張り役に過ぎなかったと認定されたらしい。坂井田も時山との約束で彼をかばわざるを得なかった。荒は当時放

心状態で、湯本が現場に入ってきていたことも知らなかったようだ。結局、湯本は少年であ

ることが幸いした。あの生意気な面を思い出すと、納得できない気もする。

汗を流しながらアパートに戻った。相変わらず畑では婆さんが座り込み、作物の世話に余

念がない。坂井田のほうを見たが挨拶はなかった。睨みつけてやると、彼女はすぐに目を逸

らした。アパートに目を向けたところで、坂井田は立ち止まった。

ドアの前に一人の男が立っている。

その男は坂井田を見ていた。

殺人鬼か？

坂井田は全身が総毛立った。

形相を歪めてその男を睨みつけた。ポケットを探り、震える手でナイフを摑む。

だが、その男は坂井田を認めると、坂井田とはまったく逆の表情を見せた。柔和に笑った

のだった。くたびれた中年の男で、確かにどこかで見たことのある顔だった。

「しばらくやな」

その気の弱そうな口調で坂井田は確信した。

「荒さんじゃないか？」

短い髪には白いものが増えていた。ざらっとした肌は張りもなくたるんでいるが、もとも

と肌艶のある男ではなかった。肉づきも昔のままで、二十年前の面影が十分残っている。

荒勝明はよれよれの作業服のような上下を着て、紙袋を抱えていた。

「実は去年の暮れによようやく外に出てきてな。仕事も見つかってやれやれというとこだわ」

「ようここが分かったな」

荒の穏やかな顔つきから敵意がないことは感じ取れたが、坂井田は警戒の色を隠さずに訊いた。彼が自分を訪ねてくる理由も分からなかった。

「時山に聞いたでな。社会に出てきたはいいが、知り合いもおらん、楽しみもない生活だ。あんた、どうしとるんかと思って。酒とうなぎを買ってきた」

「うなぎか？　蒲焼きか？」

酒というのはあの雷の晩、時山と二人で荒の部屋に押しかけたことを思い出させて、不気味な胸騒ぎさえ感じる。だが、うなぎというのは気が利いていると思った。直感で荒には他意がないと判断した。とことんまで気のいい男なのだろう。

「まあ、散らかっとるけどよ。入れや」

坂井田はドアを開けて、荒を招き入れた。洗濯したものと汚れたものが重なり合っている衣類を脇へどけて、代わりにこたつ台を部屋の真ん中へ持ってくる。そこに荒を座らせた。

荒は物珍しそうに部屋を見回していた。

「何もないやろ」

　思えば、荒とはアパートの隣同士だったにもかかわらず、差しで話をしたという記憶がない。せいぜい挨拶程度の会話しかなかった。あの頃はそれでも敬語を使っていたような気がする。どうしようかと一瞬考えたが、そんなことはどうでもいいことだと思い直した。貧乏くじを引くやつに気を遣うこともない。

　台所でコップを二個適当にゆすぎ、それを持って荒の向かいに腰を下ろした。一升瓶の栓を開け、コップにあふれるまで注いだ。

「二十年か。二十一年か。あんた、早かったな。よかったやんか。俺なんか仮もくそもない。満期務めさせられたわ。十二年や。これいいか?」

「ああ、遠慮せんで、食いたいだけ食ってくれ。俺はそんなにいらん」

　荒が好々爺のような顔をして言う。

「何か、あんた」

　坂井田は蒲焼きの箱を開けて、箸を割った。

「ずいぶん歳取ったな。俺より九つ違うで五十二か。まあ、無理もないか。そういう俺も歳食っとるわ」

　うなぎの香ばしさが舌に広がる。実に美味い。何年ぶりかの味だった。

「トキさんは十五年のとこを十三年で出た。あの人もうまいこと立ち回れる人だね。でもあんた、ようトキさんなんかに連絡入れたな。あの人もうヤクザもんやで。《光輝会》ってな、柳ヶ瀬一帯に縄張り持っとるとこや。俺が言うこっちゃないけどな、あんまり関わらんほうがええわ」

「あんたはそういうのにはならんのか?」荒が訊く。

「俺はいかんわ。今はヤクザも頭を使わないかん時代だでな。俺みたいなのはな、鉄砲玉にしか使ってもらえん。そんでもって殺しの前科があるだろ。これはもうイエローカード一枚もらっとるようなもんだわ。知っとるかね、サッカー? イエローカード二枚で退場や。俺ももう一回殺しで捕まったら、死ぬまでムショで暮らさなかんかもしれん。そうなったら鉄砲玉もくそもないがや。意味あれへんわ」

「時山も同じだろうに」

「あの人は俺と違って頭使う人やから、やってけるわ。物事、才能と努力や。俺はそういうのはいかん。楽に生きたいわ」

言葉が次から次へと頭に浮かんでくる。喋りまくりたい衝動を抑えながら荒との会話を成立させているという感じだ。薬が効いている。

「これ知っとるか」

坂井田はコンビニのビニール袋から〈週刊さきがけ〉を取り出した。袋綴じのページを開いて、それを手で破った。

「このヌード写真よう、誰が撮っとると思う？　あんたの知っとるやつだわ」

荒の目の前に雑誌を突き出してやる。

「いや、分からんな」

荒はきょとんと坂井田の顔を見た。

「湯本だて。ほらここ、ユモトヒロカズって出とるだろ。あのガキ、東京へ行ってカメラマンになりおったわ」

「ほおう」

荒は感心したような声を出して、グラビアに見入った。

「考えてみりゃ、あのガキが一番うまくやりやがったわな。あんた知らんかったんか。あいつあのとき散々暴れまくっとったんだぞ。あげくにトキさんにしっかりかばってもらってな。そのとばっちりを受けたのがあんただがや。俺は別にあんたを貶めようとかそういうのは考えもせんかったけどな。単に弁護士の指示で喋っとっただけだで。それより一番あくどいのは、やっぱりこのガキだわ。あんたが無期まで食らったのも、こいつのせいだて。未成年者は殺しのライセンスがあるとはよく言ったもんだ。何の恨みもないのに参加してきてな。一

夏の経験みたいな感覚だわ。で、何もなかったかのように、しれっと仕事しとる。まあ、ト
キさんの弟分だけあるわ。俺は気に食わんけどな。こういうやつは地獄に落としてやりたい
と思うわ」

怖いほどに舌が回る。喉が渇いて酒をかっ食らった。

「ああ、でも彼の消息が分かってよかったわ。彼にも出所の挨拶ができる」

荒が眼を細めて言う。

「たわけか。何であんなのに挨拶しないかん。無視しやええて。そんなことしても何の得に
もならんわ」

まったくおめでたい男だと半ば軽蔑しながら、一方で坂井田はこの男をうまく活用できな
いかと考えた。頭がよく動く。アイデアが一挙に二十ぐらい浮かんできた。

「俺があんたならよ、湯本を脅すぐらいのことはやったるぞ。カメラマンの仕事だって過去
を隠してやっとるんだろ。殺人犯の一味だったのがバレりゃ、マスコミになんかおれんわ
な。やつが十六のときに何やったかって紙に書いてな、百枚ぐらいコピー取って百枚とも
送りつけてやるんだて。そりゃこういうのは一枚だけ送るより、向こうもぞっとするでな。
確実に取り引きできるわ。ミソはな、これなら払ってもいいかっていう額にすることだ。五
十万とかな。それで払ってきたら、二度三度と繰り返してく。むやみに金額は上げん。五十

万だ」

　言いながら、百パーセント堅い恐喝だと思った。これは自分も一枚嚙んでいいと思った。

「絶対いけるて。一度にもらおうとせずに、長丁場でやるんだ。じわじわとやれば一年で三、四回くらい、二百万。それを二十年は続けれるわ。俺も協力したるでよ。トキさんから圧力がかかっても俺がごまかしたる。こっちのほうが有利なんだで強気にいかなかん」

　時山が本気で怒れば、荒にすべて押しつければいいのだ。荒という男はそういうふうに使う。二十一年前、時山が見せたようにやればいいだけだ。

「俺はそういうことはしたないわ」

　荒は善人ぶった澄まし顔のまま、まったく乗ってこなかった。

「何を言っとる……」

　簡単に言い包められる男だと思っていたが、意外に冷めていてがっかりした。雷の晩、時山はうまく荒をその気にさせた。あのときと何が違うだろうかと考える。もっと湯本への憎しみを煽ったほうがいいかもしれない。

「あんた、自分だけ無期食らって、納得してこれから生きていけるんか？　片方でまったく罪かぶらんでのうのうとしとるやつがおってよう。あんたのこと笑って生きとるんだぞ。ちょっとは冷や汗かかせたってもええんじゃねえか？　なあ？　俺はむしろ当然だと思う

「まあ、そんなに気にかけてくれんでもええて」荒は静かに笑った。「言われんでもよ。湯本は殺るつもりだで」

「やる？　何を？」

荒は分かっているだろうと言いたげに答えない。

「冗談言うなて……」

坂井田は初めて、自分は荒のことを見くびっていたのではないかという気になった。

二十一年前も、ただ時山が巧みに彼をがんじがらめにして、犯行に加担せざるを得ない状況に持っていったのではないのかもしれない。この男はもともと人間的な資質として、人を殺める性のようなものを持っているのではないか。時山はその導火線に火をつけてしまったのではないか。

ちょっと背筋が寒くなった。

「あんたなあ、またムショに戻る気か。下手したら死刑になるぞ。そんな馬鹿なことはやめとけ」

「あんたが俺の罪かぶってくれればええ」

「馬鹿なっ」

「ぞ」

「嫌か？」

荒は信じられないほど淡々と訊いてきた。異常だと思った。

「あ、当たり前だろ」

「そりゃそうだわな」荒が独り笑いを浮かべる。「まあ、俺は俺の責任でやるで。心配せん

でええわ」

突然、坂井田は殺気としか言いようのない空気を全身に浴びた。身体中に脂汗が浮いてく

る感覚だった。

殺される！

そう思った。

荒は黙ってこちらを見ているだけだ。

これも幻覚か？　覚醒剤のやり過ぎで、こんな幻覚が脈絡もなくやってきたのか？　それ

にしては無視できないほど強烈な感覚だ。

馬鹿なと思う。

いや……。

大事なことを聞き流していた。

時山はここを知らないはずだ！

彼には携帯電話の番号しか教えていない。荒は調べ回ってここへやってきたのだ。

荒に殺される。

坂井田はポケットに手を伸ばした。

ない。ナイフがない！

坂井田は愕然とした。いつの間にかナイフを抜かれている。

荒が恐ろしいほどの無表情で見ている。

坂井田は立ち上がった。

台所へ向かう。包丁を取って荒を追い出そうと思った。

荒に殺される。

早くしないと、荒に殺される。

「あ……！」

急に腰が重くなった。

荒が後ろから腰に抱きついてきたのだ。

馬鹿な。なんて力だ。

包丁が取れない。

「あうっ！」

腹にちかっとした痛みが走った。そこで猛然と荒の手が動いた。

「何するんだ……痛いがや……」

強烈な痛みとともにものすごい悪寒が全身を貫いた。腹を見ると、シャツにどす黒い血が染み渡っていた。そして腹から何かが出てきているように膨らんでいる。それでもなお、荒は坂井田の腹をかき回していた。その手をどけようにも、まったく力が湧いてこなかった。

気道に液体が入り込んで、強烈にむせた。咳き声と同時に大量の血が喉からこぼれ落ちた。

息が吸えない。苦しい。絶望的な苦しさだ。

力が入らず、壁にもたれながらへたり込んだ。荒の手はもうなかった。どこにいるか分からない。

助けてくれ。

そう言おうとしたが無理だった。呻き声のような、泣き声のような、そんなか細い声しか出てこなかった。

騙された。見くびっとった。あいつは殺人鬼や。

死にたない。こんなふうに死ぬのは嫌や……。

はよこの血と腸と……腹ん中に戻さんと……。

ああ……眼が見ええへんがや……。

9

〈週刊さきがけ〉の条件がよかったのか、朱音のヌード撮影の企画はとんとん拍子に進んでしまった。撮影は七月の十八日から三日間かけて、北海道の美瑛で行われた。スタッフは湯本弘和のほか、運転手を兼ねたカメラアシスタントとスタイリストがついた。

撮影は延べ二十時間にわたり、朱音は心身ともに疲れ果てた。羞恥心を奪われ、半ば放心した状態で何百回ものシャッター音を聞いた。川で溺れそうにさせられたり、じゃがいも畑で泥にまみれたり、あるいは太腿やお尻をわざと蚊に喰わせたりして、そういうところを弘和は冷徹にフィルムへ収めていった。

今まで仕事をしてきたグラビアカメラマンとは違って、弘和には朱音を乗せようとする言葉の一つもなかった。攻撃的で、相手を傷つけることが目的のようなカメラだった。朱音を身体でねじ伏せた夜と同じ弘和だった。

朱音は撮影のモデルをやっているというより、嵐が去った被災地や焼け野原になった戦場

などをあてもなくさまよっているような感覚だった。　衣服と一緒に人間性も剥ぎ取られ、ただ言われるまま、一体の人形と化していた。

弘和の気持ちも分からなかった。仕事に徹しているのか、それとも被写体が恋人だからこその真剣勝負なのか。朱音としては、やはり仕事抜きの二人でいたかった。もう二度とやりたくないと思った。

撮影から帰ってきて二、三の仕事をこなしたあと、八月に入って朱音は休暇をもらった。実家に帰り、父を病院に見舞った。ヌード撮影のことは一切触れなかった。撮影前はヌードというものに、肌が陽光に照らされてきらきら輝いているような、きれいなイメージをかぶせていた。だが、現実の撮影のあとではあまりにも空しい理想だったと認めざるを得ない。本当はそんなきれいなものではないと分かっていたが、無理にそう思い込もうとしていたのかもしれない。

ほぼ一月ぶりに会った父は、一段と小さくなったように見えた。頬が目に見えてこけ、眼は落ち込んでいた。髪の毛は全部とは言わないまでも、七割方抜けてしまっていた。明らかに薬の副作用か、病状の悪化かのどちらかだった。

それでも、父は優しかった。前回のように仕事の話を持ち出さなかったことがよかったのだろうか。声が弱かったが、それは口の中が荒れていて、唇をうまく動かせないためのよう

だ。喋る内容はしっかりしていて、見た目ほど深刻ではないのかもしれないという気もした。

あと一セット点滴が終われば、体力の回復を待って退院だという。自分でトイレの用も足せるし、食事も半分は食べられるらしい。父の体力なら何とか乗り切ってくれるだろうと朱音は思った。

病室を出たところで小倉という父の担当医に呼び止められた。朱音は彼女に小部屋へ通された。

「ご家族の方が見えないものですから、お父さんご本人には検査結果の出たままをお話ししてありますけどね……」

小倉先生はそう話し始めた。三十前後だろうか、長い髪を後ろに束ねて、理知的な顔をしている。口調は気さくで、丁寧だった。

小倉先生の話は、病気に疎い朱音にはあまりよく分からなかった。ただ察するに、父のがんは完治しないということを言いたいらしい。だったらどうなるのだとは怖くて訊けなかった。

「まあ、今回の入院治療では点滴で腫瘍が小さくなりましたし、やった甲斐はあったと思います。ただ、今後はですね、こういう治療を再び行うかというとちょっと難しいかもしれないと思うんです。抗がん剤の投与っていうのは、それに耐え得る体力があることと、効果が

期待できることが条件なんですよ。今回はそれがありました。でも次回は分かりません。む

しろ、ないと思ったほうがいいかもしれません。抗がん剤を投与すると、いろんな副作用が

起きますし、免疫力が弱まって感染症にかかりやすくなったり、肺炎を起こしやすくなった

りします。例えば、そっとしていたら数カ月生きられるところを、治療を施したために体力

を落として、数日とか数週間で亡くなってしまうこともあり得ますから。そういう状態では

あえて抗がん剤は使わないということを承知しておいて下さい」

「……はい」

としか言えなかった。

「もちろん、今日、明日の話ではありませんから」

そう言って小倉先生は笑顔を取り繕った。

「滝中さんはお母さんもここで亡くなられているんですね」

「ええ。四年前にくも膜下で……」

「娘さん一人で大変だと思いますけど……まあできる限り、お父さんについていてあげられ

るんであれば、そうしてほしいということですね」

小倉先生は自分の言葉を噛み締めるように頷いた。

10

中年男性の刺殺体発見される　岐阜・可児（かに）

九日午後二時頃、岐阜県可児市下切（しもぎり）のアパートで板金工の坂井田昇さん（四三）の部屋から異臭がするとの通報があり、可児署の署員が駆けつけたところ、同部屋から男性の死体が発見され、身元確認の結果、坂井田さんであることが判明した。死因は腹部を刃物で刺されたことによる出血多量と見られ、死後二、三日が経過している模様。坂井田さんは療養中のため仕事を休んでいた。

岐阜県警では殺人事件と断定し、可児署に捜査本部を設置する一方、現場周辺で不審な人物などの目撃情報を集めている。七日の午後には知人らしき人物が坂井田さんを訪ねてきているのが目撃されており、その人物の足取りを追っている。

滝中守年は朝食のあと、売店で買ってきた新聞にその記事を見つけた。口の中が荒れて気

持ち悪く、何度もうがいをした。ベッドに戻るとまた、新聞を取ってその記事を読み返した。あれは先週だったか。二度目の見舞いに来た県警本部の捜査一課長、庄村に、守年は退院後の辞職をはっきりと伝えた。入院後の一カ月、守年は日に日に自分の体力が削ぎ落とされていくのを感じていた。点滴を受けているため尿意を催す間隔が短く、夜でも何度も起きねばならない。その起きてポータブルトイレに腰かけるという動作がいつしか重労働に感じるようになっていた。睡眠不足のために、日がなうとうととしている。しかし、どれだけ寝ても、まるで何日も徹夜を重ねたように身体がだるかった。

刑事として動き回っていた日々が、遠い昔のように非現実的なこととして感じられる。再び、あのように働くことなどイメージできず、またその気力もどこをどう探したところで見当たらないのだ。前回、大腸がんを手術したときでもなかった感覚だ。

最初は体力を見定めてなどと言っていたが、気持ちの問題だけで言えば、一日たりとてワイシャツに袖を通して署に出勤するということは不可能だと思った。だから庄村には悪いが、自分が退院したら自宅に退職願と手帳など諸々の備品を取りに来てもらうつもりで、その旨を彼に伝えた。庄村が忙しいなら加茂署の総務課の誰かに来てもらおうと言っておいた。

あれから体力は一段と落ちている。足は肉が落ちて棒のようになり、くるぶしや膝頭が異様に大きく見える。立つとがくがく震える。

それでも点滴が取れた分、いくらかは自由に動けるようになった。だからというわけではないが、新聞の事件記事にも興味がいくようになった。

「滝中さん、どうですか?」

小倉先生が顔を見せた。

「ええ、まあまあです」

守年の返事に、小倉先生は過剰とも思えるほどの笑顔で相槌を打った。

「腰の痛みはどうですか? 放射線治療してから和らいでるんじゃないかと思いますけど」

「ええ、だいぶ楽になりましたね」

「そうですか。まあ、ここまで順調にきてますんで、あと少しですよ。今はまだちょっと白血球が少ないですけど、それが回復すれば二、三日のうちにも退院ということになりますからね。徐々に身体も動かしてもらっていいですし」

「部屋の外に出るときはマスクをしたほうがいいんですか?」

「そうですね。そのほうがいいでしょう」

言い終わって、小倉先生はぺこんと頭を下げて部屋を出ていった。

一人になると守年はまた、新聞を手に取った。

庄村が見舞いに来たのは、その二日後だった。三度目の見舞いも彼はメロンを持ってきた。

「病院におると携帯が使えんでな。ホッとするやら、不安になるやら、何とも変な感じだわ」

力のない笑顔を見せてパックを開ける。

「一課長ともなれば、連絡のつかんとこにおるのはまずいわな」

「まあ、俺がおらんでも動いてかんとことはない。俺も一個の歯車だ」

庄村はメロンを率先して頬張り、鼻から息を抜いた。

「明日、退院だわ」

守年が言うと、庄村は弾かれたように顔を上げた。

「そうか」

と言ってから少し絶句し、ほんのりと眼を潤ませた。

「ちょうど盆じゃないか。亜矢さんも戻ってきとる。そりゃよかった。二人で夫婦水入らず、家で過ごせるわ」

「ああ」

守年は庄村らしい言い方に、少しだけ笑みを洩らした。

「まあ亜矢には退院を報告するとして」

守年はテレビ台の引き出しから新聞を取り出した。

「この坂井田の事件な。続報がないけど、どうなっとる？」

庄村は新聞記事と守年の顔を交互に見比べた。守年の意を測りかねるような、怪訝な目を

していた。

「これなあ……現場から荒の指紋が採れとるわ」

「荒か!?」

守年は自分でも驚くほど強い声が出た。庄村の顔が心なしか強張った。渋い顔で彼は話し

始めた。

「七日の二時半頃か。坂井田のアパートの前に小さな畑があってな、そこで畑仕事をしとっ

た婆さんがおったんだが、その人が、五十前後の作業服を着た男が坂井田の部屋の前に立っ

とったのを見とる。それで坂井田が買い物から帰ってきてな、二人で部屋の中に入っていっ

たと。会話の詳しい中身は聞いとらんかったようだけど、久し振りの再会のような感じだっ

たらしいわ。うちの者が水を向けるとな、その婆さん、そう言えば坂井田が『荒さんか』な

んて言っとった、いう話もしとる。荒は去年の暮れに仮釈されとるからな」

守年は思わず深々と唸り声を上げていた。あの荒がか、と独りごちた。

「行方は摑めんのか？」

「今、みんなで追っとるけどな。　まだ摑めん。　棲みかも分からん状態や」

「兄貴も知らんのか?」

「出所の日に会ったきりやそうだ。支援者のつてを頼っとるんやと兄貴は思っとったらしいけど、その支援者もどこにおるんか分からん。今、捜しとる」

「しかしなぁ……」

守年はもやもやとしたものを感じて首を捻った。

「何で荒が坂井田を刺さなかん?　せっかく仮釈もらったっていうのに」

「そこなぁ……まあ、俺がこんなこと言うのも変やけど、モリさんたちが主張しとった時山主犯説を持ってくると説明できるんやないかなという気もするんや。荒が時山や坂井田に嵌められて主犯に仕立て上げられたのを根に持っとったとしたらな」

「ふむ……」

それはあるという気がした。いや、それしか理由は見つからないのだった。

時山と坂井田の当時の供述によれば、あの事件は荒が作戦、実行ともに中心を担っていたということだった。気良佳代については坂井田が鉈で動きを奪ったところで、荒が包丁で致命傷を入れた。時山は二階に上がって気良希代子に暴行未遂を働いたが、逃げられたところで腹いせに部屋に火をつけ、一階へと降りた。その間、荒がテラスから遠い部屋の順に火を

つけ、気良公彦を見つけて時山らと殴打を加えた上に火をつけた。さらに、荒は浴室へと逃げた公彦を追って入浴中の気良征彦にも火をつけ、息子を窓から逃がした公彦に包丁で致命傷を負わせた……そういうことだった。

一方、荒の供述というのは、自分は気良公彦を打ちのめした坂井田の鉈が彼女の首に深く刺さって、致命傷を負わせたようだった。一緒に佳代を打ちのめした坂井田の鉈が彼女の首に深く刺さって、致命傷を負わせたようだった。ほかの部屋から回ってきた時山がとどめを刺すように包丁を首に突き立てた。気づくと火の手が上がっていて、ほかの連中を追うようにして逃げた……ということだった。彼は二階も浴室も知らないと言っていた。

しかし、凶器の指紋と湯本を含めた荒以外のメンバーの供述一致が決め手となり、荒が主犯であるとの認定で決着した。自首していなければ極刑が下っていてもおかしくなかった。あれが時山らの策謀であるなら、荒にしてみれば死線をくぐらされたという思いがあるだろう。

「ショウさん。手帳を返すのは先延ばしだ。このヤマ、俺にも嚙ませてくれ」

この二日で引退という決断は変わっていた。まだまだ自分には刑事の血が通っている。「揺り椅子探偵っちゅうやつやな。分かった。俺の権限で本部に出向扱いにしとく。嚙んでもらおう。毎日若いもんをあんたんちへ寄越して報

「そうか」庄村は思案顔になって言う。

「告させるわ」

「いや」と、守年は小さくかぶりを振った。「そんなこととしてもらわんでいい。出向扱いにしてもらえば、俺が帳場に出る。俺の足でやる」

「おいおい」庄村が慌てる。「無茶言うなや。そんな顔色して、いくら何でも無理やわ。最低あと二、三週間は家で大人しくしとらんと」

「大丈夫だ。身体なら何とかなる。やりたいときにやらせてくれ。これで終わりにする。だからな、最後にこのヤマをやらせてくれ。荒が二十一年前の事件を引きずって坂井田を殺ったんなら、二十一年前の事件は終わっとらんわけだ。俺らは事件の幕を引く責任がある。それをやらずして引退はできん」

庄村が不意にティッシュを一枚差し出してきた。

「唇から血が出とる」

一生懸命喋り過ぎて、荒れた唇が切れてしまったようだ。守年がその血を拭って薬をつけるのを、庄村はじっと見ていた。

「どうなんかなあ。正直言うとな、モリさんとやれるのは嬉しい気もあるんやけど……そんな言葉に甘えて無責任に頼むのも……なあ」

「頼むのはこっちのほうだ。あんたは首を縦に振ってくれりゃええ」

「ふむ……」

庄村は言い淀むようにしていたが、やがて宙にさまよわせていた視線を守年に向けた。そして、はっきりと頷き、苦笑いを見せた。

「まあ、好きにしてくれ」

翌日、守年は朝食を済ませると二週間後の診察の予約を取り、薬を受け取った。昨日のうちにまとめておいた荷物を台車に載せ、ナースステーションに挨拶をして外に出る。外は朝から暑かった。六月頃も十分暑かったが、やはり本格的な暑さというのは違う。個室だっただけに、冷房は思い通りだったから、入院中は暑いと思うことはなかった。ちょっと贅沢をしたが、結果的にはそのおかげで順調に退院できたのかもしれない。

病院の前で客待ちをしているタクシーに乗った。荷物は運転手にトランクへ入れてもらった。後部座席で一息つく。ここまででかなり動いたような気がした。それでも疲れたという感覚はない。退院したらしたで、何とかなるものだと思った。意外に動けるという感じだった。

坂祝町の自宅に到着すると、さすがに何とも言えぬ感慨が込み上げてきた。無事に帰って

こられたという喜びがあった。庄村が言っていたように、妻の亜矢がそこにいるような気がした。

築十八年の、隣家と軒を争う一戸建てだ。五年ほど前に壁を塗り替えようという話があったものの、亜矢を失って、それも立ち消えとなってしまっている。染みが壁の至るところに浮いてはいるが、それでも我が家というものは、何となく清潔な感じがするものである。

玄関に荷物を残したまま、守年はリビングと寝室のエアコンをつけた。雨戸を開け、部屋ににじりじりとした光を入れる。洗面所に行ってうがいをしてから、仏壇の前に座った。ろうそくに火を灯して線香を上げ、鈴を鳴らして退院を報告した。

夕方には可児署に顔を出そうと決めていた。だから、エアコンを利かせた寝室で布団をかぶってしばらく眠ることにした。炊飯器にスイッチを入れておいてから、昼を挟んで三時間ほど横になった。

遅い昼食は茶漬けをさらりと喉に流した。愛車のクレスタを慎重に運転し、近くのスーパーで簡単な食材を買い込んだ。花も買って、両親と妻の眠る墓を参りに行く。朱音の手入れが行き届いていて、草は伸びていなかった。

暑さに立ちくらみを覚え、早々に家に戻る。肩で息をしながら、しばらく玄関の上がりかまちで座り込んだ。一人暮らしには慣れていたはずだが、今さらながら、ここには手伝って

くれる者はいないのだと思い知った。身体が弱くなると、心細さが身に染みる。これからは
誰にも気づかれないところで、いつ自分が倒れ込んでしまっても不思議ではないのだという
覚悟が芽生えていた。

洗濯を済ませてワイシャツに着替えると、加茂署の水谷刑事課長に電話して退院の報告を
した。県警察本部への出向という話はすでに庄村から伝わっているようだった。電話を終えて
再び七年物のセダンに乗り、捜査本部の立っている可児署へ向かった。

可児市は木曾川を隔てて美濃加茂市の南にある。かつては緑が多いだけの何の変哲もない
田舎町だったが、近年は広がりを見せる名古屋のベッドタウン化にかかって開発が進み、新
興住宅街が多くできている。美濃加茂と似たところがあるが、可児のほうが新しい郊外型の
スーパーやファミリーレストランなどが目立つ。若い年代の居住者たちが増えているという。も
う守年の自宅から可児署までは車で三十分もかからない。時間は六時半を回っていた。もう
そろそろ捜査員たちが収穫を持って本部に帰ってくる頃だった。

署の大会議室が「可児下切男性刺殺事件」の本部となっていた。十人がけ、十列の机が並
んでいるが、そこにいるのはせいぜい十人そこそこというところだった。まだ戻ってきてい
ない捜査員を合わせても、二十人くらいだろう。

捜査員が集まっているあたりで煙草の煙が上がっているのを見て、守年はマスクをかけた。

病は気からと言うが、肺に腫瘍があると言われてから息苦しさを覚えるようになった。咳き込むことも多い。点滴を受けてからそれは和らいだ気もするが、単に病室を動かずじっとしていたからかもしれない。

ゆっくりと部屋に足を踏み入れる。知った顔が二、三見えた。捜査一課の連中だ。庄村の顔もあった。さすがに見舞いで見せた柔らかい表情ではない。

「モリさん……」

部屋にいた一人が守年の姿に気づいて、声を上げた。五係の係長で、守年より七つ年下の吉井幸伸という男だ。かつては一緒に聞き込みの班を組んだこともある。この事件は吉井率いる五係が出張ってきているらしかった。

庄村も守年に気づいて、前に出てきた。

「あんた、今日退院したばっかやろう。また無理して来て」

「いや、今日は顔を見せに来ただけですよ」

仕事の関係では庄村にも言葉を改めることにしている。

「モリさん。見舞いにも行かず申し訳なかったですね」

吉井が言う。若作りの顔立ちで、万年青年という感じだ。

「いや、とんでもない」

守年も短く応える。そんなような簡単な挨拶が何人かの顔見知りとの間で交わされた。

「課長。この部屋、禁煙にしましょうか?」

「ふむ。そうだな」

という吉井と庄村のやり取りで、部屋から灰皿が外された。守年は止めようとしたのだが、吉井が刑事には珍しく禁煙派で、もともと機会さえあればそうしたいと思っていたようだ。庄村もあまり本数は多くないので異論はない。

部屋には可児署の副署長と刑事課長もいて、守年は彼らにも挨拶をしておいた。二人とも話したことこそないが、顔と名前は知っていた。

時間とともに捜査員たちが戻ってきた。七時から報告会議が始まるという。

「おいおい、禁煙って何だよ、これ」

ホワイトボードの横の壁に貼られた手書きの紙を見て、最後に帰ってきた若い刑事が苛立ったような声を上げた。彼は貼り紙に構わず、空き缶を灰皿にして煙草を吸い始めた。知らない顔だったが、態度からして一課の刑事だと思われた。

七時を過ぎて、会議が始められた。吉井を進行役にして、各々が今日の捜査状況を報告していく。

現在のところ捜査は、荒勝明がどういう手段とルートで現場に現れて立ち去ったかという

点と、荒が現在どこにいるかという点に絞られているようだった。ほかに坂井田の交友関係や仕事場でのトラブルなどを当たっている班もいて、善人ではない被害者だけに、大小のいざこざもいくつか上がってきていた。ただ、それは荒の線がくっきりと見えているだけに、参考程度に聞き流された。

坂井田が刑務所を出所してから九年が経っている。彼はしばらく更生施設にいて板金加工の仕事を覚え、その後職場を転々としながらも自活はできていたようだった。

ところが三年ほど前から体調を崩したらしく、長期の病気療養に入っている。その後回復して職場を変えたようだが、何日も経たないうちに労災を起こしている。

坂井田の血液からは覚醒剤の成分が検出されている。台所の棚にあるプラスティック容器から微量の覚醒剤も見つかっている。結局のところ病気が先か覚醒剤が先かは分からないが、三年ほど前から薬とともにまともな社会生活が送れなくなり、ほとんど廃人のような暮らしをしていたということらしい。妻は内縁も含めて、存在した形跡はない。

坂井田の実家は可児市の北東に隣接する御嵩町にある。小さな農家で、長兄が兼業で継いでいるという。坂井田は三人兄弟の末っ子で、兄弟との交流は慶弔事を含めて断絶されている。遺体は実家で引き取ったが、それまではまったく連絡を取ることもなかったということだ。両親が健在であるために、葬儀は内輪でひっそりと営まれたらしい。

長期刑を食らった者は務めを果たしたからといって、出所後に一通りそろった人生を送ることは極めて難しい。坂井田のような孤独な生活を余儀なくされる者のほうが多いだろう。それに、ある意味では社会との接点がないほど、本人としては苦しむことが少ないということもある。孤独と自由はコインの裏と表だ。

守年が意外に思った事実は、坂井田を刺した凶器のナイフは坂井田自身のナイフだったということである。ケースは坂井田のズボンのポケットに入っていたという。

一方、荒勝明の消息は五組の捜査員が追っていた。荒は坂井田のアパートの前に徒歩で現れている。付近に不審な車の目撃情報は出ていない。そして最寄りのJR太多線下切駅の駅員が、三時半頃に荒らしき男が一人で駅に入ってきたのを目撃している。時間的には犯行を終えて戻る頃合いであるから、荒である可能性は高い。多治見行きに乗ったのか美濃太田行きに乗ったのかは分かっていない。四組の捜査員が同時刻の下切駅から上下線に乗って当日の目撃情報を募る捜査を続けている。

荒の周辺で起こっている奇異な事実は、荒が出所するまで実家に出入りしていた山田なる人物の消息も摑めないということだった。荒の兄によれば、山田という男は出会った当時、名古屋大学の講師をしていると話していたようだが、大学に問い合わせてもそのような人物は在勤していなかったという返事であった。兄はこの山田の住所も電話番号も記憶していな

い。電話番号のメモをもらったことがあったらしいが、そのまま荒に渡してしまっている。

荒は昨年の十二月二十九日から三十日にかけて、名古屋駅前竹橋町のビジネスホテルに宿泊している。これは二十九日の仮釈放後、実家に帰り、夜の七時に実家を出ているところから、この日はどこかに宿を取ったのではないかという吉井の読みで拾ってきた足取りだった。ホテルの宿泊簿には、しっかりと荒のフルネームが書かれていた。チェックアウトは三十日の十時。そこから実に七カ月半もの足取りが摑めない。保護観察所への出頭は一度もない。実家への連絡もまったくないという。兄の知る限り、荒が墓参りをしたような形跡もない。兄は月に二回は墓に出向くらしいが、そこには前回自分が挿した花があるだけだということだ。

会議が終わって、守年は吉井のもとに向かった。

「係長、凶器のことなんですけどね……」

吉井は可児署から差し入れられた箱詰めの缶ビールを一本、身を乗り出して取った。守年に勧め、守年が断るとプルタブを引いて一口すすった。

「あれは、凶器、もしくは現場に坂井田以外の血は出てないんですか?」

吉井ははきはきとした口調で答える。

「ないんですよ」

「いや、僕らもね、荒が坂井田のナイフを使っている以上、揉み合いがあっただろうと思うんですよ。七日に坂井田を訪ねてきた男が荒だとしますとね、外にいた婆さんの話だと、坂井田と荒は友好的な雰囲気だったということですわ。だから、まあ、しばらくは和やかに打ち解けた話でもしていたんでしょう。それが何かをきっかけにして雲行きがおかしくなった。坂井田っていうのはモリさんもご存じでしょうけど、元来気性の荒い男ですからね。シャブを打ってることもあるし、いつ刃物を抜いても不思議はない。それで揉み合っているうちに、荒のほうがナイフを奪って坂井田を刺したと。そういう流れですね」

「そういう流れなら、荒も傷を負っていて不思議はないですね」

「そうなんですけどね。現場に残されているのは坂井田の血だけです。アパートの外には血痕はありませんしね。台所の水道で手を洗った形跡は残ってます」

「荒がね」

「そう。荒が血だらけの手を洗ったということです。それから坂井田の腹ね。モリさん見ましたか？」

「いや」

「ふむ……」

吉井はノートに貼った数枚の写真を守年に向けた。

守年はそれを見て言葉を失った。すべての憎悪がそこに集約されたような深く広い刺し傷だった。

「ひどいでしょう。突発的な喧嘩でこうまではやりませんよ。それからね……」

吉井はまた別の写真を見せた。

「坂井田はこの台所の壁にもたれかかるようにして倒れてたんですけど、この坂井田の周りに、不自然に服や下着が置かれているんですわ」

「ほう。血が流れるのを堰き止めたんですな」

「そう。だから荒は足にも血をつけてない。そういう足跡はないんです」

「ふむ……」

確かに人の血を足につけるのは嫌だろう。ぬるぬる滑って気持ち悪いものだ。だからそういう行動を取りたくなるのは分かる。

だが、それも突発的な喧嘩という流れからは逸脱した行為だ。和やかな再会。坂井田のナイフ。荒の指紋。坂井田の死体。それはいい。だが、それには、争った形跡、荒の血痕、淡白な傷痕、血まみれの床が続かなければおかしい。

「なぜ荒は坂井田のもとを訪れたのかということがありますね」

「はいはい」と吉井は反応した。「そもそも荒は坂井田を殺すためにやってきたんじゃない

かと、こういうことですね。ただ、そうすると、なぜ凶器が坂井田のナイフなのか。そしてなぜ白昼堂々と現れたのか。なぜ指紋を消さなかったのか。そのへんがどうもね、腑に落ちんのです」

部屋では守年と吉井のような捜査談議がそこかしこで行われている。それぞれ缶ビールや烏龍茶片手に持論を展開しているのだが、手持ちのカードはさらけ出さないのが刑事たちの習性だ。一種の探り合いで、今後の捜査のヒントを摑むわけだ。ある意味、足を棒にして情報を稼ぐ昼間より楽しく、そして刑事らしい時間と言えるかもしれない。

「ナイフのケースは坂井田のズボンのポケットに入っていたんですねえ?」

守年は念を押して訊いた。吉井が「ええ」と、痰を切るような声を出す。

「ケースの指紋は?」

「坂井田だけです。荒のはついてない。購入先は今、調べてるとこです」

「というと、そのナイフが坂井田のナイフだという根拠は今のところ、ケースの指紋だといういうわけですか?」

「いや、それだけじゃなくて、職場の同僚がね、坂井田があのナイフを持っているのを知ってるんですよ。高価でよく切れるナイフだって自慢してたらしいんです。それから近所の中にも、坂井田がナイフを手にしてアパートの周りをうろついてる姿を見ている人もいるんで

す）

「えーと、被害時の坂井田の服装は？」

「青いTシャツにグレーの半ズボンですわ」

「そうすると、そんなくつろいだ格好をしながらもナイフをポケットに入れてたっていうの

は、本当に肌身離さず持っていたということですね」

「まあ、シャブをやってると、いろんな被害妄想が出てきますからね」

「普段、坂井田が暴れたっていうことはなかったんですか？」

「口論程度のトラブルはともかく、暴力沙汰は特にないみたいですね。近所の人たちも、眼

つきが悪いとは思ってたけど、シャブをやってるとは知らなかったみたいですし。短期間に

せよ、今の職場でも普通の人間と思われていたようですよ。ここの生安課もまったくノーマ

ークだったそうですわ」

「酒の酔い方にもいろいろあるように、シャブにも人によって効き方があるんでしょうな」

守年の言い方がおかしかったのか、吉井は表情を崩した。

「そうかもしれませんね。だったらさしずめ坂井田は、シャブ癖のいい男だったってことで

しょう。いや、そうするとナイフを持っているのが何なのかってことになるな……」

「いえ、その考え方でいいでしょう。シャブに呑まれてる男が常時ナイフを持ってて、何も

起きないほうが奇跡ですよ。幸か不幸か坂井田は錯乱するような状態になるまではシャブに溺れてなかったってことです。だから、ナイフを持っているのは、本人にとってまともな理由があるんでしょう」

「まあ」と吉井は肩をすくめた。「それ以上は、モリさん、気になるなら突き詰めてみて下さいよ。僕は報告だけ聞かせてもらえばいいですから」

守年はしばらく現場の写真や、現在の荒の似顔絵などを見ながら頭の中を整理していたが、これ以上吉井の邪魔をするのも悪いと思い、彼に礼を言って場を離れることにした。

「モリさん」

吉井との話が終わるのを待っていたように、庄村が声をかけてきた。

「ほんで、あんた、明日から来れるんか?」

心配げな口調に守年は苦笑した。

「来れますよ。たぶんね」

ふんふんと庄村は自分の覚悟を決めるように頷いた。そして視線を守年から大きく外して、声を上げた。

「今枝!」

そう呼んで、また守年に目を向ける。

「せっかくだから若いのと組んでもらうわ。あんたの背中を見てないやつが一課にも増えてきとるでな」

「お父さんだ」

11

一課の刑事は入れ替わりがほとんどない。定年や昇進、あるいは守年のような理由で誰かが一課を去ったときに、欠員補充の形で新しい刑事が入ってくるのが普通だ。新人は一課長が各署から目ぼしいのを引っ張ってくる。こういう捜査本部が立ったときなどに、所轄に属している刑事の中で活躍の目覚しいのをチェックしておくわけだ。

庄村がヘッドハントしてきた人材とはどういう男なのかと興味を持ったが、捜査会議の間、一人で煙草を吸っていたあの男だった。

今枝謙一郎とは形式的な挨拶をして、守年は捜査本部をあとにした。

家に帰る頃には、さすがに動作の一つ一つに息をつかねばならないほど疲れが出ていた。

そう言ったあと、ため息のような息遣いが一つ聞こえた。一瞬にして気が滅入るような声だった。

朱音は「はい」と返事をしたまま、父の次の言葉を待った。父の電話はいつも重い沈黙が入る。それが嫌だった。

心配する気持ちはあるのだ。ただ、こうして電話で暗い声を聞くと、そんな気持ちもどこかへ行ってしまう。

父から電話があるなどということは、母がいた頃はまずなかった。母が他界してから、ぽつぽつと電話がかかるようになった。増えてきたのは、父が手術をしてからだ。用事がなくてもかかってくる。そんなときは自然と重い空気が増す。

電話でため息をつかれるのは、身体ごともたれかかってこられるのと同じだった。しかし、それを支えてやれる力など、朱音にはまったくない。自分自身のことで精一杯なのだ。

「今日、やっと退院できたわ」父が感情を消した声で言った。

「そうなの？ よかったね」

ちょっと淡白かと思いながら、安心を口にする。これ以上喜んでも芝居にしかならない。

ホッとしたのは確かだ。

「部屋が片づいとって助かった」

それくらいしかできない。

「今日は夕方、仕事場にも顔を出したしな」

「そんな、いきなり行って大丈夫なの？」

この前会ったときの様子からは、すぐに仕事に戻るなどとは想像もつかなかった。身体を起こすのも一苦労という感じだったのに。

「まあ、今日は挨拶に行っただけだ。ちょっと疲れたけどな。マスクもしてったし、大丈夫だったわ」

「あんまり無理しんといてよ。昔の身体じゃないんだから」

「分かっとる」

言って、父はまた沈黙を挟んだ。

「まあ、今日は仏さんの前に座ってな、退院しましたって母さんに報告できたから。それがよかった。母さん、向こうで寂しがっとるかなって思うけどな、まだ来てほしくないみたいだ」

「そりゃそうだよ。お母さんだって、もう少しのんびりしたいのよ」

「うん……」という時間が止まるような相槌が返ってきた。

「お父さんも明日からまた一つ頑張るからな。朱音もお母さんに報告して恥ずかしくないよ

「うにしないかんで」

「………」

応えようがなかった。

「お母さんに恥ずかしくて言えんようなことはな、たとえ仕事だろうが選んじゃいかん。お父さん、そのことが少し気になっとったでな。まあ、それだけだ」

「そう……」

「じゃあ、おやすみ」

「うん……」

言葉が聞こえなくなって、朱音は電話を切った。

父のため息が伝染ったように重い息を吐いた。

ミイラの夢を見た。

ミイラの眼に射すくめられて、自分は金縛りに遭っている。

暗い眼をしたミイラだ。

自分は動けない。泣いたら駄目だと父に言われているから泣くこともできない。

そのミイラが不意に笑うのだ。なぜ笑うのか分からない。

泣きたくなるほど怖いのに、泣いたら駄目だと言われている。ひたすら耐えるしかない。

今日は家族で旅館に出かけた夢だった。そこにそのミイラがいたのだ。ミイラの姿はいつも同じで、顔中に包帯を巻いていて喋りもしなければ動きもしない。眼だけが自分を捉えて放さない。

いや、本当にそんなふうだったのか。今見た夢の記憶は急速に形を失っていく。ただ、ミイラの夢を見たことだけは確かだ。そして、ミイラの夢ならばいつもそんなふうなのだという根拠のないリアリティが自分にはある。

起きると背中に寝汗をかいていた。暑い朝だった。

今日一日、仕事は入っていない。こんな日が一カ月のうち十日ほどを占める。以前はこういう日でも事務所に出て、オーディションの日程を調べたり、小さな仕事を拾ったりと、まめに動いていた。今はマネージャーがほかのタレントと掛け持ちになっているので、ずっとくっついて面倒を見てくれるということはなくなった。朱音にとってはそのほうが楽だった。

朝食代わりにスナック菓子をつまみながら、漫然と掃除や洗濯をこなした。ゴミ袋を見ると、信じられないほどたくさんの菓子袋が詰まっている。この頃は毎日必ず、ポテトチップスとチョコスナック、クッキーの三種類の菓子袋を買ってきている。買わないと不安なのだ。ほとん

ど麻薬のようなものだ。食べているときが一番落ち着く。お腹が一杯でも食べるときがある。落ち着くからだ。

昼を過ぎて近くのコンビニへ行き、カップラーメンといつもの菓子にプリンとアイスクリーム、コーヒー牛乳を買った。

最近は給料も安くなって、洋服を買うことも抑え気味になっている。増えているのが飲食代だ。家賃は事務所が持ってくれるので、それだけは助かっている。

もし今の仕事を辞めたら、生活が回らないかもしれない。郊外に引っ越しても、家賃に六、七万は必要になってくるだろう。敷金、礼金もいるし、引っ越し代もいる。貯金は三十万ほどしかないから、かなり厳しい。

新しい仕事がうまく見つかる保証もない。バイトで食いつなぐなら、せいぜい月に十二万稼げばいいほうではないか。そうやって暮らしている人もいるのだから無理ではないだろうが、自分自身どんな職場でも適応できる性格でないことは分かっている。

だから、仕事を辞めるなら、やはり田舎に戻るのが無難な選択なのだろう。ちょっと前まではそれでもいいと思っていた。けれど、ここ最近田舎に戻る回数が増えると、弘和が言っていたように、二日もいれば飽きてしまうところだと分かる。夜な夜な街に繰り出すタイプでなくとも、平凡な日常に自己が埋没してしまいそうで怖い。

父のこともある。小倉先生が匂わせたように、ある程度人生の残りに限りが見えてきてい

るなら、そばにいてあげたいと思う。だが、考えたくはないが、父がいなくなったとき、自

分はあの町でどうするのか。そのときになって、改めて東京に戻るということができるのか。

戻ってきて何をやれるのか。

　弘和のこともある。北海道以来、会っていない。一度、食事の誘いで連絡が入ったが、会

いたくなくて断った。それでも、いつまでもそういうわけにはいかないと思う。田舎に帰れ

ば別れることになるだろう。それはやはり寂しい。

　乱暴なところはあるが、根は優しいのだ。彼は羨ましいくらい夢に向かって前進していく。

仕事に対する情熱がほとばしっている。そういう一方では、付き合っている女にぞんざいな

態度を取るのは仕方ないことなのかもしれない。それを責めるのではなく、許すべきなのか

もしれない。自分が別れたくないのなら、そうするよりほかにないのだろう。

　そう考えてみると、何をするにしても東京に片足を置いておいたほうがいいと思う。だっ

たら、今しばらくは仕事も続けねばならない。

　そんなことをとりとめもなく考えながら、カップラーメンを食べた。テレビをつけてみる

が、興味をそそるような番組はなく、一通りチャンネルを替えてすぐに消した。

　新聞を見ると、FMラジオで「九〇年代アイドル特集」という番組を一時からやっている

のが目に留まった。ステレオをつけてダイヤルを合わせる。チョコスナックを開封してベッ
ドに寝転がった。

そのまま二時までラジオを聞いたが、結局〈パラソル〉の曲はかからなかった。聞き始め
るのが遅かったのか、あるいは最初から入っていなかったのか。おそらく後者なのだろうと
一人ですねてみる。

シングルを六枚、アルバムも二枚出した。今はCDショップに行っても、よほど大きな店
でもなければ見かけない。あるのは中古CDを扱っているところだ。時代の風に跡形もなく
吹き飛ばされている。

そういう現実を目の当たりにすると、自分という人間の無力さや小ささに気づいて呆然と
なる。二時間、三時間という睡眠時間に耐えてキャンペーン活動に奔走し、ディレクターの
ダメ出しに泣きながら歌録りを繰り返した。身を削って作ったあの数々の歌が、結局は人々
の心を捉えることはできなかった。素通りしていっただけだ。

〈パラソル〉の曲は、奇をてらったり、流行を先取りしたようなエキセントリックなもので
はなかった。ラジオや有線から流れる音楽には、聞いたそばから心に染み込んでくるような
曲がある。あるいは心を揺さぶる曲がある。その一方で、耳に心地いい曲ではあるのだが、
どこかありがちというか、表面を上滑りしていく曲というのもある。多少は好き嫌いが混じ

るが、音楽をやっていて、そういう違いは分かるつもりだ。

だが、自分たちが歌う曲というのは、まったく客観的な判断ができないのだった。いい曲だと信じ切って歌っていた。ほかの誰のどんな曲よりもだ。それでも、人々の心には届かなかったということだ。やはり自分たちが歌っていたのは表面的な聞こえがいいだけの歌だったのだろうか。何がよくて何が悪いのか、振り分けるのは簡単だ。でも作るのは難しい。

ある意味、自分という存在ほど曖昧なものはないと、朱音は思う。そこから生まれてくるものは、いいのか悪いのか、評価のつけようがない。それも自分の一部だからだ。自分を百パーセント客観的に見ることなど未来永劫できない。だから、客観的な評価を求めて……人の目を気にしてしまう……そういうことなのだろうか。人の目を気にし、人の目に怯える。

自分のタレント活動は、すべてその一言で説明できるような気がする。

「チャオー、みんな元気にしてるう？」

気だるく耳障りな声がスピーカーから聞こえてきた。

『〈オリヒメ〉のとびっきりアフタヌーン』、今日も生放送でいきますかあ」

知らないうちにこんな番組始めてたんだ。朱音は嫉妬混じりに思った。まあ、いいけど、と無関心を決め込んでみる。

〈パラソル〉も売り出した頃はＡＭの深夜枠でラジオ番組がついた。放送作家が企画を決め

てリスナーからハガキを募り、それをもとに世間話と変わらないお喋りをやっていた。気楽

で、一番楽しかったような気がする。

「えー、先月にですねえ、ちょこっとハワイに行った話をしましたが」

「ハワイね。はいはい」

いつの間に……。そんな、ちょっとの用事でハワイに行くのか……。朱音は意味もなく枕に

頭をグリグリと押しつけながら、ため息をついた。

「あのお土産はまだ残ってるの？　今週も出す？　はい、今週もハガキかファックス、Eメ

ール、読まれた人には当たりまーす」

「まあ、それはいいとしてぇ。そんときに撮った写真が、もうすぐ雑誌に載って発売される

んですよねえ」

「あ、これ、もうできてんだ？　見本？　あ、そう。まだ見てないや」

「うそ、マジ。見せて見せて。うわっ、一杯載ってるじゃん」

「水着だよ、水着。はしゃいでますよ」

「ははは……〈オリヒメ〉柄にもなくはしゃいでます」

ラジオでグラビアの説明しても分かんないよ。朱音は心の中で毒づきながら、天井に向か

ってパンチを繰り出した。

「あ、誰ぇ？　この袋綴じ、破って開けてんの。谷さん？　これを破ったのは谷さんだそうです」

「ええ、何これ？」

「ぎゃははははっ！」

けたたましく下品な笑い声が音割れを起こした。

朱音は身体を起こしていた。背筋に寒けがあった。

「恥ずう！　恥ず過ぎだよ。こんなの昼間から見ていいの？」

「ちょっと、ミイコ、イニシャルトークしてよ」

「分かってるって。でも、この人どう？　やっちゃったよって感じ？」

「やっちゃったよね。ここまでやるかって？」

「人間、追い込まれると怖いわ」

「そこまで言う？」

「でも、どうよ、これ？　この身体とか、肉がさあ皺になって、キモくない？」

「いや、身体はともかくさあ、顔がキモいよ。こんな顔、どうやったらなるの？」

「今のはマーコが言いました」

「何でぇ。もうやめよう。こんなの、谷さんが破るからいけないんだい」

「とか言って、まだ見てるし」

「見てないよぉ……」

朱音はステレオのスイッチをはたくようにして切った。気づくと、肩で息をしていた。〈週刊さきがけ〉の納涼特別別冊はお盆明けに出ると言っていた。見本はもうできているだろう。できていても見るつもりはなかった。だが、こんなのを聞かされれば、そういうわけにもいかない。

ブラウスとデニムのスカートに着替え、帽子を目深にかぶって外に出た。三軒茶屋から表参道に出て、銀座線に乗り換え、外苑前で降りる。事務所まで小走りに向かった。事務所にはスタッフが三人、デスクについていた。朱音のマネージャーである冬木もいた。

「あれ、今日はどうしたの?」

三十五にしてすっかり中年の野暮ったさを身につけた冬木が、眼鏡に手をやりながら訊いてきた。

「あの……」

朱音は冬木のデスクまで近づいた。少し声を落として言う。

「〈週刊さきがけ〉の。見本できてるの?」

「ああ。まだ見てなかったっけ」

彼は机の脇に山となって置かれている書類の一番上にあった写真誌を朱音に差し出した。

朱音はそれを持って、誰もいない奥の会議室に入った。ドアを閉め、手前の椅子に座る。

息を呑んで写真誌を広げた。

巻頭に有名女優のヘアヌードがあった。延々十ページほどある。その次が〈オリヒメ〉の水着写真だ。やっぱりこれか、とやるせない気になった。

袋綴じは二カ所あった。中ほどと後ろだった。中ほどの袋綴じがカッターで丁寧に切られていた。

そこを開いた。

朱音が上半身裸で川の中に入っている写真が袋綴じの表紙だった。上に「女体の森」というタイトルがついている。

女体の森？

何だ、このセンスのかけらもない直截的（ちょくせつ）なタイトルは？

気が遠くなりそうな思いでページをめくる。

ページをめくる。

ページをめくる。

風景には憶えがある。こういうポーズをとったという記憶も残っている。

だが、ここに写っているのは、本当に自分なのか？

信じられない気持ちだった。

醜悪だと思った。

一つの笑顔もなく、恥ずかしさもなく、瑞々しさもない。胡乱な女が理性をなくしてさまよっているような写真ばかりだ。

これが自分だとしても……。

私は本当にこんな顔をしているのか？

こんな醜い顔を……。

斜めから見ると、顎と口と鼻が歪んでいるじゃないか。眼の位置が上過ぎて、頬がのっぺりと広いし、眉の形もおかしい。ちょっと表情が乱れるだけで、口元や眉間や眼の下に汚い皺が寄ってしまっている。顎のラインも横から見るといびつでしかない。

そんな馬鹿な。

〈オリヒメ〉のミイコと見比べてみる。

と、その差に朱音は血の気が引く思いだった。

ひどい。

なぜ今まで気づかなかったのだろう。

自分の顔は顔の形を成していない。あまりにも無責任に、寄せ集めのパーツで組み合わされている。ミイコは違う。ここしかないというところに、これしかないという眼や鼻がついているのだ。こんなに整っているものか。違い過ぎる。

壁にかかっている鏡に飛びつき、自分の顔を映した。

角度を変えてみる。表情を変えてみる。よく見れば、グラビアの中の自分が確かにいる。

見れば見るほど粗悪な顔をしている。

鏡に映る顔と、ミイコの顔を比べる。

残酷だ。

朱音は反射的に目を背けた。

ため息をつき、もう一度鏡に視線を戻す。長く見ていると、そこに映っている自分の顔が奇妙な物体にしか見えなくなってくる。悪酔いしていくような感覚だ。

本当に吐き気が込み上げてきた。会議室を出て、トイレに駆け込む。カップラーメンやスナック菓子を便器に戻した。

「朱音、どうした？　顔色悪いぞ」

トイレを出たところで冬木が腰を上げて、声をかけてきた。朱音はただ首を振って、また、会議室にこもった。

　写真誌を恐る恐る開く。ほとんど怖いもの見たさだった。

　まるでアングラなグロテスク漫画のような世界が構築されている。アートの世界に足を突っ込んだ写真なのかもしれない。少なくとも弘和自身はそういう狙いでこれを撮ったのかもしれない。しかし、そうならないのは、モデルの自分が色気や妖艶さを放つことなく、ただただ醜態をさらしているだけだからだ。

　雑誌を払い飛ばして、朱音はテーブルに突っ伏した。身体が震えて止まらなかった。

　写真は怖い。他人の視線を見せてくれる。

　それでも今までは、こんなふうには見えなかった。着飾って、約束されたポーズと表情を撮られていただけだからか。

　もしかしたら……。

　私は今日初めて、自分自身を客観的に見ることができたのではないか……。だからこんな醜さに気づいてしまった。他人はこういうふうに見ていたのだ。

　絶望的な気分だった。

　生きる力が萎えていく思いだった。

第三章　滝中守年　最後の事件

1

退院した日の翌朝、滝中守年は八時に家を出ると、自宅近くの喫茶店に寄り、モーニングセットを食した。捜査一課にいた頃は、こういう習慣はなかった。亜矢が死んで、自分で朝食を用意しなければならなくなり、さらに加茂署に異動して生活が規則正しくなると、喫茶店で朝食を取ることを覚えた。

朝のうちの涼しさが理由の一つかもしれないが、今日は昨日のような青息吐息の体調ではない。昨日はいきなり真夏の炎天下に放り出されて、蓄えの少ない体力を根こそぎ持っていかれてしまった。朱音へ電話をかけたあとは疲労が一気に出て、ほとんど気を失う寸前にベッドに倒れ込んだようなありさまだった。

今日は無理さえしなければ一日動けるのではないかという気がする。マスクももうかけるつもりはない。まだまだ気の持ちようによって、身体もどうにかなるものだと思い知った。発熱を起こしているようなありさまだった倦怠感があるにはあるが、申し分のない体調というのは、もう手

には入らないだろう。今の状態で満足すべきだ。

八時四十五分に可児署へ出勤した。捜査本部では刑事たちが各々で打ち合わせを始めていた。

「おはようっす」

入口近くで一人座り、煙草をくわえていた男が、苦々しそうに挨拶を吐いた。同時に立ち上がる。

「行きましょう。もう車出せますから」

コンビを組むことになった今枝謙一郎は、若いロック歌手などによく見る、細面で顎の尖った顔立ちをしていた。髪のサイドを茶色に染めている。肌の色は浅黒かった。守年よりも背の高い男だ。

庄村の紹介によれば、今枝は岐阜南署で四回、本部の強盗犯係でも三回の本部長表彰を受けているという。去年、強行犯係の五係へ移ってきたらしい。まだ三十歳だ。

今枝は上着を肩にかけながら歩き始めた。

「俺は遅くても八時から動いてますから。今日もそのつもりで来たんですけどね」

友好的な口調とは言いがたかった。

「携帯の番号、教えといて下さいよ。不便でしょうがない」

「ああ……」

守年は加茂署刑事課の所属になっている名刺を取り出して今枝に渡した。今枝はそれを一瞥してシャツの胸ポケットに入れた。

そのまま無言で警察署裏の駐車場に出る。

「あのマークⅡですよ」

そう言って今枝が車のキーを差し出してくる。

「運転してくれ」

守年は取り合わずに、助手席側へ回った。今枝はしばらく車の前で立ち尽くして守年を睨んでいた。何かブツブツ言いながら、かったるそうに運転席のドアを開ける。

「まず、現場に案内してくれ」

助手席に座って守年が言うと、今枝はキーを差し込んでイグニッションを回したところで身体の動きを止めた。片頬を吊り上げて守年を見る。

「何言ってるんですか？　今日行くとこは、もう俺の中で決まってるんですよ」

「どこだ？」

「荒のムショ仲間のとこですよ。荒とコンタクトを取ってないか、一人一人洗ってるんですから」

「なるほど。悪いけどそれはあとにしてくれ。現場を見ないと話にならん」

「デカ長さん」

今枝は上体を捻って、守年のほうへ身体ごと向いた。顎を突き出すようにして言う。

「悪いけど、俺は警部補ですよ。若いと思ってなめんといて下さい」

「だからどうだって言うんだ？」守年は静かに言った。「警察の世界、全部が全部、階級で動いてるわけじゃないことくらい、何年もいたら分かるだろう」

自分の顔に今枝の視線が突き刺さってくるのがよく分かったが、守年は前を向いたまま黙っていた。

今枝は小さく舌打ちして煙草を取り出し、火をつけた。大きく煙を吐き、ようやく車を発進させた。

「窓を開けて吸ってくれ」

「冷房が効かないでしょ」

「じゃあ吸うな」

守年の言葉がよほど頭に来たのか、今枝は四つの窓を全開にした。生暖かく湿った風が、守年のまばらな髪の毛を容赦なくもてあそんだ。手櫛で気にするところを今枝が横目で見る。

「その髪の毛、いっそのこと丸刈りにしたらどうですか。少ない髪の毛を大事にしてるのっ

てみっともないですよ」

「これは病気の治療で抜けたんだ。また生えてくる」

「抗がん剤でも使ったんですか?」

遠慮もなく訊いてくる。守年が答えないのを見て、今枝は言葉を続けた。

「俺、デカ長さんのこと、何にも聞いてないですよ」

「知らなくていい」

一言にして返すと、今枝は「ふん」と、軽蔑するような声を洩らした。

「まあ、いいですけどね。俺も病人と組まされるのは勘弁してほしいですから。何にも聞か

なきゃ、気を遣う必要もなしと。で、いいんでしょ?」

「ああ」

「お互いプロとして仕事するだけですからね」

今枝は煙草の灰を窓の向こうに落としながら、渋そうに煙を吐いた。

「でも、また生えてくるんなら、いいじゃないですか。ハゲなんて嫌ですもんね。まあ、俺

は遺伝的に大丈夫だけど、自分がハゲたらと思うとぞっとしますよ、ぞっと」

坂井田のアパートは警察署から南に走って十五分ほどのところにあった。古い民家の多い

地域で、田畑も目立つ。稲がよく伸びている。

アパートの前にある未舗装の空き地に車は停まった。ギヤをパーキングに入れるのと同時に、今枝が携帯電話を出して大家を呼んだ。空き地を隔ててアパートと反対側に小さなネギ畑がある。お婆さんがその一角で土をいじっていた。

「警察ですけどね」

大家を待っている間、守年はそのお婆さんに話しかけてみた。彼女は「警察」という声にもそれほどの反応を見せなかった。もう誰かが当たっているらしい。おそらく、庄村の言っていた婆さんというのが彼女だろうと思った。

「この前の事件のこと、もう一回教えてくれんやろか」

言うと、お婆さんはゆっくりと腰を伸ばした。

「荒さんか」って言っとったよ

お婆さんは意外に滑らかな口調で、何の前置きもなくそう言った。

「私も言われてはっきり思い出したわ。そう言っとったで」

「相手はどういう声やった?」

「優しーい声やったわ。うなぎと何やら持ってきたってな」

「ふむ。それから?」

「まあ、順序は思い出せんけどな。しばらくやなって。どっちが言ったかも思い出せん。こ

こに住んどるの誰に聞いたんやって。誰々に聞いたわって。そんな話やな」

「訪ねてきた男の顔、あんたさん見なすったか?」

「一人でおるときな。あそこのドア、ノックして、最初は何かの商売の人かと思ったけどな。工場の人みたいな服着てずっと立っとるし、変やなとは思ったわ。そこの人は出てってておらせんよって言ったろう思ったけど、そこの人が何やええ男やないし、まあほかっといたんやわ」

「刑事が見せた似顔絵の顔かね?」

「そうやった」

「あんたさん、眼はいいほうか?」

「まあ、老眼は老眼だわな」

「その男、何分くらい待っとった?」

「十五分くらいやないかな」

「二人ともまともな話し方やったかな? ろれつが回らんとか、お互いの話が嚙み合っとらんとか、そういうことはなかったかね?」

「まともやったよ。それはまともやったね」

「何分ぐらいで出てった?」

「三十分はおったな。一時間はおれへん」

「ふむ……」

大家が来たので、守年は礼を言って話を打ち切った。

大家の田中は守年より一回りほど歳がいっている男だった。髪の毛は見事に白くなっているが、背筋が伸びていて物腰に品があった。

「まあ、本音を言うとねえ、早いとこ部屋の中のもん、整理してもらいたいなあって思ってるんですけど、あんなことになった方の部屋だし、ご兄弟に急かすようなことも言えませんがね。あれから何も連絡ありませんし、お見えになってもいませんからねえ。どういうもんかなあと途方に暮れてるんですわ。まあ、早く空いたところですぐに次の人っていうわけにもいかんでしょうけどねえ」

田中がドアを開け、守年は中に入った。むせ返るような淀んだ空気に満ちていた。

小さなたたきがあって、そこで靴を脱ぐ。上がるとそこは台所の一部になっていて、右側に四畳半ほどの板間が広がっていた。隅に花が手向けられている。

「私が置いておいたんですけどね。もうそろそろ替えんといかんね」田中が淡々と言う。

血が流れたと思われるあたりは、うっすらと染みが残っているので分かる。台所の水回りは、水垢や錆がそこかしこにこびりついていて汚かった。

ガラス戸で仕切られた畳部屋は殺風景だった。こたつ台に座布団が一枚。テレビ。扇風機。

目立つのはそれくらいか。本当はもっと雑然としていたのだろうが、鑑識が荒の毛一本でも

捉えるために、ゴミを含めて徹底的にさらえていったと思われる。あっさりとした感じだ。

「表と裏を開け放てば、いい風が通るんですけどね。クーラーなしでも過ごせますよ」

田中がタオルで汗を拭きながら言う。

「坂井田さんはいつも雨戸を閉めたままにしてたそうですね」

「ええ。不健康だから部屋にお日様を入れたほうがええし、たまには布団を干したりもしな

いかんよって、会うたび私も言っておったんですがね」

守年はその部屋の様子を一通り見たあと、台所の板張りに目を戻した。ゆっくりと手を合

わせ、眼を閉じた。

二十一年前の事件では、主に時山の取り調べに当たっていたが、坂井田や荒の取り調べに

もついている。ついていないのは湯本少年の取り調べだけだ。

坂井田についたのは一回だけだった。斜に構えていないと自分を表現できないような、ま

だまだ子供っぽさが抜け切っていない男だった。今で言う「切れる」態度も多く、それも含

めて虚勢を張り続けていた印象がある。

決して頭の悪い男ではなかったが、時山のような狡猾さは持ち合わせていなかった。刺激

や快楽に歯止めなく流れていくような単純さがある。それが優先するあまり、人間愛という感覚は欠落していた。取り調べの初めこそ反省の言葉を口にしていたようだが、それも長くは続かなかった。守年が相手をした頃には自虐的なほどさばさばとしていて、被害者家族や自分の親兄弟へ詫び入る気持ちを表すことはまるでなかった。

彼は成長していく年代のいつからか、どう生きても社会からドロップアウトしていく道しか選べなくなった人間だ。そして行く末はこういうことだった。ある意味でかわいそうに思う。

守年はしばし坂井田という男の人生に思いを馳せながら板間に立ち尽くしていた。それから便意を覚えて田中に頭を下げた。

「すいません。ちょっとここのトイレを貸してもらえんですかね。なにぶん腹の緩いたちで」

今枝の軽蔑し切った視線を尻目に、守年はトイレを借りた。用を足すと、田中に礼を言って、そのまま外に出た。

「まったく、何しに来たんだか……」

後ろから今枝が愚痴った。

「空気が知りたかっただけだ」

そんなことを言いつつ、守年は集合ポストの坂井田の箱を開けてみた。チラシのほかにD
Mが二通入っているだけだ。事件よりあとのものには違いない。誰かほかの刑事が覗いてい
るのかもしれないが、そうでなければここ二、三日に着いた郵便だろう。一通は携帯電話の
カタログ案内のようだった。もう一通は名古屋にあるミリタリーグッズの専門ショップから
のDMだ。守年はその店の名前と住所、電話番号を手帳にメモした。

「どうもお暑いところ、協力して頂いてありがとうございました」

田中に重ねて礼を言い、守年はマークⅡの助手席に腰を滑らせた。

「エアコンをつけてくれ」

ハンカチを取り出して、額から首筋から流れ落ちていく汗を拭った。

冷房が効き始めて落ち着くと、守年は先ほどのメモを取り出した。〈ポセイドン〉。住所は
名古屋市の名東区だ。

「ここへ行ってくれ」

守年がメモを差し出すやいなや、今枝は大きくため息をついた。

「冗談でしょう。坂井田の周辺洗ってどうすんですか。勘弁して下さいよ。そんなことして
何の得になるんですか。もう荒を捜した者勝ちなんですよ」

「俺は今日から始めとるんだ。捜査の進行状況など関係ない。とりあえず気になることは押

さえていかんと、先には進めん」

今枝はおもむろに窓を開け、また煙草を吸い始めた。そうでもしなければ、やってられないという感じだ。それでも一本吸い終わるまでに怒りを押し止めたようで、静かに車を走らせた。

「こんな呑気なことでいいんですかねえ。今こうしている間にも、荒が高飛びするかもしれないのに……」今枝が独り言のように言う。

「高飛びしてどこで生きるんだ？　荒はそんな立ち回りのうまいやつじゃない。あいつはいずれ出てくるはずだ」

「出てくる前に捕まえるのがプロの刑事ってもんでしょ」

今枝はふてぶてしいまでに、プライドを言葉ににじませた。

「俺の読みを言っておきましょうか？」と彼は話を続ける。「荒っていうのは切れると何をするか分からない男ですけど、少年時代に武闘的な経験は積んでいません。ナイフの使い方も素人のはずですよ。それが今回は坂井田のナイフを奪ってそれを凶器に使うなんていう芸当を見せている。おそらく荒自身も凶器を用意してたんでしょうけど、それを使わず坂井田のナイフでやったっていうのは、相当の格闘技術を体得してますよ。プロの手ほどきを受けてるはずです。殺しのプロのね。そんな人間とどこで出会えるか。刑務所です。刑務所で出

会った殺しのプロと出所後にコンタクトを取って同時に地下に潜り、訓練を受けながら復讐の機会を待っていた。それが荒の姿への復讐です。傷口のひどさから見て、動機は復讐に違いない。

自分だけが無期を食らったっていうことへの復讐ですよ。そしてその荒を支えて刑務所仲間との再会に一役買ったと思われるのが、山田という謎の支援者です。この支援者が今も生きているかどうかは知りませんがね」

今校はまるで死んでいるとでも断言するように言った。今校も守年の感想などは求めていないようだった。

腑に落ちないと思いながらも、守年は何も言わなかった。

多治見インターから中央自動車道に入り、東名高速道路を乗り継いで、名古屋市の名東区には一時間足らずで着いた。このあたりは車に乗っていてもアップダウンを感じる丘陵地で、高級住宅街が多い。〈ポセイドン〉は県道沿いにあるマンションの一階部分にテナントとして入っていた。店の前に隣の喫茶店との共用の駐車場がある。

ドアガラスが不透明で店内の様子が見えないが、営業中の札がかかっている。一見(いちげん)の客には入りづらいだろうと思われた。それでも中に入ってみると、意外に照明が明るく、ごく普通の店だという印象だった。

十畳ほどの広さの店には冷房が効いていた。入口に向かってコの字型に、ショーケースのカウンターが構えている。モデルガンやスコープ、アーミー服などのグッズがケースの中に収まっている。右側のケースにはナイフがずらりと並んでいた。

「いらっしゃいませ」

カウンターの中央にオーナーらしき、ひげを蓄えた中年の男が立っていた。Tシャツにジーンズと若作りをしている。店員は彼一人だ。高く明るい声だった。

「こんにちは」

守年は挨拶を返して、岐阜県警の刑事であることを名乗った。

「あなたがここの店のオーナーですか?」

「そうです。竹田と言いますけど……」

相手は不安げな声になった。

「この店のお客さんで、坂井田昇さんという方はご存じですか?」

「坂井田さん。ええ、何回か来られてますね」

「実はですね、ご存じかどうか知りませんが、坂井田さんがこのたび殺人事件に巻き込まれましてね」

竹田は「ええっ?」と眼を剝いて、表情を強張らせた。

「まあ、お亡くなりになったわけなんですけど……」

「ええっ?」と、竹田はもう一度驚きが収まらない様子で声を上げた。

「自宅にいたところを、ナイフで刺されましてね」

「はあ……」と、今度はため息をついた。「新聞に載ってましたか?」

「ええ、載っております。七日に被害に遭われましてね。事件が発覚したのが九日です。十日の新聞に載ってます」

「はい」

「いやあ、新聞は読んでるつもりですが、まったく気づきませんでした」

「そうですか。それでね、その犯人がまだ捕まっておらんもんですから、こうやっていろいろ回らせて頂いているんですけど」

「はい」

「坂井田さんはここでナイフを買われたことがあるんですか?」

「はいはい」

竹田は大きく頷いた。

「まあ、そんなにしょっちゅう来られるお客さんじゃないんですけど、二、三カ月に一回くらいですかね、名古屋に遊びに来たついでに寄るような感じで、熱心にナイフを見ていかれる方でしたねえ。いつも一人でいらっしゃってました。買ったのは三本ほどですけど、それ

はもう熱心に選んでいかれまして……」

竹田は言いたいことがあるのか、話をやめなかった。

「最初に来られたのが三年くらい前ですかね。よく憶えてますよ。何か尋常じゃない様子でナイフに見入ってましたから。訊けば、護身用にいるって言うんですよね。ちょっと危ない人かなあとも思ったんですけど、どちらかって言えば怯えてるような感じでね、誰かに狙われてるなあとか言ってましてね。まあ、そのときは手持ちのお金がないらしくて、とにかく安いやつを一本買っていかれましたね。

それから何回か来られましてね。こう言ったら何ですが、見た目はあの方、粗暴そうなんですけど、話してる感じは気さくな方でしたよ。ナイフを一本ずつ手に取っては、ああでもないこうでもないって選んでおられました。一番切れるのはどれかとか、軽いのはどれかとか、握りやすさがどうとか、そういう実戦的な見方でして、デザインなんかはこだわってなかったですね。

一本目を買ってから半年くらいして、今度はお金があったのかストライダーっていう十八万円のナイフを買っていかれました。ナイフの専門的な使い方を教えてくれって言われましてね。それも握り方とか基本的な構えとかじゃないんですね。相手がどう来たらどう攻めるとか、どこの急所が効果的かとか、そういう話を知りたかったみたいです。ちょっと困りま

したけど、まあ、一応こういう話で済ませておきました。

一本目のナイフは刃がボロボロになって捨てたって言ってましたね。やっぱり安物は駄目だって分かったって。野山に入って一人で訓練してたらしいです。二本目のやつも、岩に当たって刃が欠けちゃったって言って慌てて飛んできました。今、襲われたらどうしようもないって、大げさなくらいに怯えてましてね。直すのに日にちがかかるって言ったら、じゃあそれは捨ててくれって言うんですよ。で、また散々選び抜いて、京都のナイフ作家が造った十二万円のカスタムナイフを買っていかれました。それが今年の春先ですかね。三月頃です」

「それはこういうナイフですかね？」

守年は手持ちのファイルから凶器となったナイフの写真を出した。

「ええ、これです。ただナイフシース、まあケースのことですね、それが気に入らなかったようでして、私が後日注文通りに作って差し上げましたよ。ズボンのポケットの中にシースを留められるようにしておいて、ナイフハンドルを引けば、簡単にナイフが抜けるようにしたかったみたいですね。とにかくすばやく抜きたいからってことでした」

「一番最後にここに来たのはいつ頃でしたか？」

過剰なほど実戦的な注文だ。

「うーん。確か六月の終わり頃でしたね。そのときは刃を研いだだけですけどね」

「何か変わった様子は？　特にいつもより怯えていたとか」

「いつもと変わらなかったと思いますよ」

守年はメモ帳に竹田の話を整理した。それを見ながら質問する。

「その、狙われているっていうのは、坂井田さんは相手を特定していたわけじゃないんですかね？」

「ええ。俺は復讐されるようなこと一杯してきたからな、なんて言ってましたね。家を張られてるとか、尾行されてるとか、どうもそういうことから感じてたようです。俺は何回も修羅場をくぐってるから、殺気があれば感じるんだって。そんなことも言ってきましたよ」

「彼が話してる内容ですね、さっき様子が尋常じゃないなんていうことも出てきましたけど、内容としては辻褄が合ったことを言っていましたか？　つまり、妄想に取りつかれているとか、あるいは支離滅裂なことを口走っているとか、そういうことは感じられましたか？」

「そういうことを感じたのは最初の、ほんの少しの間だけですね。第一印象というんですか、それだけで。あとは話せば話すほど、普通の人なんだなという感じでしたけど」

「例えば覚醒剤をやっているとかそういう人間には見えませんでしたか？」

「えっ？　そういうことは考えてもみませんでしたけどね」

「ナイフを人に向けたような話は一度もなかったんですね？」

「ないですね。今度人を刺したら一生外に出てこられないかもしれれんけど、でもやるときはやらないかんでんでって、そういうことを真面目な顔で言ってました。だから、あくまで護身用っていうつもりで持ってたと思いますよ」

「なるほど……」

守年はメモ帳を仕舞いかけて、もう一つ質問を思いついた。

「坂井田さんが店に来ているときですね、ほかのお客さんが入ってきたりした場合、彼はどんな様子でしたか？」

「ああ。それはビクッと振り返るような感じですね。で、緊張してるっていうか、相手の顔を窺って常に注意を向けているっていうところがありましたね。そこまでいくと、ちょっと臆病な人なのかなかなんて思ったこともありましたよ」

「そうですか。いや、大変参考になりました。ありがとうございます」

「いえいえ。まあ、こんなことで坂井田さんの供養につながればいいんですが」

竹田は最後まではっきりした言葉で答えてくれた。特殊な商品を扱っていても、やはり店というのはこういう愛想がなければ続いていかないのだろう。自分にはできない仕事だと守年は思った。

「坂井田はシャブのやり過ぎですよ」

車に戻って今枝が言う。

「三年前からなんて、荒とは何の関係もないじゃないですか。

なんですからね。だいたいナイフを携帯するくらい用心してて、荒が出所したのは去年の暮れ

てるんですよ。事件に何の関係があるっていうんですか。妄想ですよ。荒をにこやかに部屋に入れ

「トイレに行きたい。その喫茶店で飯にしよう」　坂井田の妄想」

いったんエンジンを入れた今枝は、げんなりとした顔でエンジンを切った。

「まだ十一時じゃないですか。所轄の平刑事を引き連れてるのとは違うんですよ。何でも一

人で決めんといて下さい」

今枝がブツブツ文句を言うのを無視して、守年は喫茶店に入った。トイレを済ませてスパ

ゲッティを注文した。

「いつもそういうやり方なんですか？」

向かいの席に座った今枝が、肘をテーブルに載せて詰問口調の言葉を吐く。

「はっきり言って、古参の人たちがデカ長さんと組みたがらないから、俺がこうやって相手

をしてるんですよ」

守年は昨日の捜査会議で得た情報や今日の話など、メモ帳でおさらいしながら、ちらっと今枝を見た。

「だったら別に所轄の刑事を充ててもいいだろうに」

「可児署の刑事は、それはそれで手一杯なんですよ」

「じゃあ、お前はそれより暇だと思われとるのか。俺と組ませるのは、お前を鍛え直したいからららしいぞ」

「冗談じゃないっすよ」

今枝はしらけ切った表情になって束の間、口をつぐんだ。その間も手を組んだり離したりと落ち着かない様子が守年の視界の隅に入ってきた。

「その、ズボンの裾を上げてボリボリ足をかくの、やめてもらえませんか? 朝からずっとやってますよ。みっともない」

「人の体質をあれこれ言うな」

朝からどころか、身体を悪くしてから全身の痒みが治まったためしがない。病気のせいか薬のせいか、よく分からない。ときには集中力が妨げられるほど痒い。食べることに専念したが、舌がスパゲッティが運ばれてきて、守年はメモ帳を仕舞った。食べることに専念したが、舌が荒れているために味はまったく分からず、半分ほどで喉を通らなくなった。

「何かすごい汗かいてませんか？」

先にピラフを食べ終えた今枝が笑い混じりに言う。

「ほっとけ」

「デブは汗っかきって言いますけどね。痩せてる人でそんなに汗かくのは珍しいっすね。も
う食わないんだったら、煙草吸っていいですか？」

そう言って守年が答えるのを待たずに、今枝は煙草に火をつけた。守年は病院で処方され
た薬を出して水と一緒に飲んだ。

「デカ長さん、一課長と同期なんですってね。同期の仲間に使われる気分ってどうなんです
か？」

「別にどうも思わん」

「そうですかね。俺だったら嫌だな。まあ、キャリアとかは別にしてね、同期の中では一番
出世しておきたいですよ。同期の人間に頭下げたり、敬語使ったりってみじめでしょう。俺
の同期だと機動隊に何人か警部補になってるやつがいますね。刑事だと少年課にいる早稲田
出たやつが警部補になってるんです。まあ、それくらいですかね。そいつらには勝たないと
ね」

今枝は自分で語っておきながら、何がおかしいのか失笑した。

「こんなこと言っても理解されんのでしょうね」

「そんなことはない。分かるとも」

「へえ」今枝は意外そうに顎を上げた。

「お前のようなのをプロって言うんだろ」

「へへ。案外、偏屈なだけじゃないんですね」今枝は鼻を指でこすった。「俺は捜査だろうが昇進だろうがプロとして遅れを取りたくないんです。世のため人のためなんて言っても、我々ボランティアでやってるわけじゃないんですからね」

「今枝……」

守年はおしぼりで顔の汗を拭いてから立ち上がった。

「ボランティアをやったことがあるんか。お前みたいなのにはとても務まらんぞ」

「はあ……」

今枝はまったく話が嚙み合わないというような、うんざりした顔で生返事をし、煙草を消した。

午後からは今枝の希望通り、荒の刑務所仲間を当たった。荒と同房だった延べ十六人のうち、東海三県に居所を確認できたのは十一人だったという。その中で愛知県に住む四人のところを回った。盆休みで家にいるところを押しかけることになる。相手には当然嫌がられた。

守年は二人目を済ませたところで、疲労が身体に溜まってきて、助手席で寝入ってしまった。途中何度か目が覚めたが、身体から眠気が抜けず、そのたびにまどろみの世界へ戻っていった。今は普通の暮らしをしている者たちだけに、刑事二人で物々しく行くよりは、今枝一人に任せたほうがいいという気もあった。

完全に目が覚めて時計を見ると、六時に近かった。今枝は黙々と運転していた。

「収穫はあったか？」

訊きながら、声がかすれることに気づいた。ひどく喉が渇いている。眠る前に買った缶の烏龍茶を取り、喉を潤した。

「呑気なもんですねえ」

今枝が横目で蔑んだように守年を見る。

「俺が寝てたほうがやりやすいだろう」

どうやら収穫はなかったようだ。服役中に同房者と連絡先を教え合うことは懲罰対象の行為である。初めの二人も、荒という男はそんなことをするタイプではなかったと口をそろえていた。

「明日からどういうふうに動いてくつもりですか？」

今枝が不機嫌な声で訊く。

「まあ、いいですよ。別に今、決めなくても。でも、報告会議が終わったら、とことん詰めさせてもらいますからね。今日みたいな行き当たりばったりはごめんですよ」

守年は何も言わずに聞いていた。

「今日、どっかで一杯飲りますか？　お互いにもっと分かり合わないといかんでしょう。俺は妥協が嫌いですからね。このままでコンビを続けるのは嫌ですよ。だから飲みましょう。もちろん平等に割り勘でね」

「飲めばお互いを分かり合えるのか？」

「飲んでいろんな話をすりゃ、相手がこういう人間なんだっていうのが分かってくるでしょう」

「遠慮する。そんな薄っぺらい人間関係なんかいらん」

守年は素っ気なく言い、強い西日に眼を閉じた。

可児署に戻ったときは、西の空が赤く焼けていた。

「デカ長さんって、娘さんと話が合わないでしょ？」

エレベーターの中で、今枝は唐突にそんなことを言ってきた。守年は点滅する階番号を見上げたままだった。

「娘さん、タレントの滝中朱音なんでしょ。それくらいは知ってますよ。合わないだろうな、どう考えても」

守年が黙っているのをいいことに、彼は調子に乗って話を続ける。

「ブラウン管の中じゃ目立たないけど、実際に見るとやっぱいい女なんでしょうね。俺、見合い相手になりますよ。いや、マジな話」

エレベーターを降りて廊下を歩く。その後ろを今枝の声が追いかけてくる。

「言っても俺、一応同志社出てるわけだし。外見もそこそこでしょう。まあ男としてそれほど不足はないと思いますよ。実際、うんざりするほど見合いの話は来てますからね。将来を考えたら下手な女とは結婚できませんけど、刑事の娘なら問題ないし」

「…………」

「売れっ子タレントならそうもいかないでしょうけど、娘さんも最近見ないですもんね。あんまりみじめになる前に引退させたほうがいいですよ。こういう流れで悪あがきしてヘアヌードなんかに挑戦するっていうパターンが多いですからね。そうなっちゃうともう、見合いの話をされても、こっちも困っちゃいますけどね」

煌々と明かりのついた捜査本部では、八割方の刑事たちが戻ってきていた。前方、奥のテーブルに庄村がいるのが見える。その周りを吉井係長や主任らが囲んで、会議前の打ち合わ

せをやっている。

「ショウさん」

部屋に入った守年は、その輪を切り裂くように庄村の目の前まで直進した。テーブルに手をつく。

「ああ、お疲れさん。大丈夫やったか？」

庄村が守年の顔を見上げて言った。周りの面々から次々に「お疲れ様」という声がかかった。守年はそれには応えなかった。

「相手を替えてくれ」

「え？」

「相棒だ。違う人間にしてくれ」

「またそんな我がまま言って……」

「もっと俺に気持ちよく仕事させてくれ。頼むわ。このヤマだけだ。俺は捜査に没頭したいんだ。これ、我がままか？　なあ？」

「モリさん。まあ、落ち着いて」

横から吉井がなだめるようにして、肩に手を置いてくる。

「別に今枝が駄目な刑事とは言わん。優秀かもしれん。でも、今の俺には、あの軽さは耐え

「冗談じゃないっすよ！」

後ろから語調を荒らげた今枝の声が聞こえた。

「ベテランかなんか知らんけどさ、そんな勝手なこと通るんですか？　まあ、俺はいいけど。ただ、はっきり言ってプロとして恥ずかしいっすよ」

「プロ、プロ、プロって、お前はプロ星人か！」

守年が返すと、何人かの者が吹き出した。

「プロ星人がいいや」

「まあ、まあ」

と庄村が取りなした。顔を両手で拭って一息入れる。

「分かった。確かに合わんかもしれんな。吉井、辻がいいやろう。モリさんのサポートにつけたってくれ」

「分かりました」

吉井が「辻！」と大きな声を上げた。

「悪いな。ショウさん」

守年はテーブルに手をついたまま、庄村のほうへ身を乗り出し、頭を下げた。

られん」

「気にするな。辻っていうのは今枝より若いけどな、名大出とるし身も固めとる。コツコツとやる男でなかなか有望だ。かわいがってくれ」

「悪いな。俺もこんなに自分が我がままになっとるとは思わんかった。情けない。身体は言うこと聞かんし、気持ちばっか焦ってな。本当、今回だけ勘弁してくれ」

「何言っとる。モリさんのそういうのは昔からだわ。俺はびっくりしんでよ」

そう言って微笑む庄村に、守年はもう一度頭を下げた。

「運転してくれ」

捜査二日目はスカイラインだった。運転席に辻薫平が乗り込む。

「最初に言っとくが、俺は途中で寝るかも分からん。気を悪くせんといてくれ」

「退院されたばかりらしいですね。係長から聞いてます。代わりに僕が動きますんで何でも言って下さい」

「いや、できることは自分でやるから」

辻はどこか田舎の朴訥とした青年を思わせるような、丸顔で大人しい顔立ちの男だった。態度も今枝とは逆に、最初から遠慮が感じられた。地声も小さい。

「それでどこから当たりますか？」

「時山次郎が岐阜でヤクザをやってるそうだな。〈光輝会〉っていう柳ヶ瀬の」

「ええ。でも三日前に勝田さんたちが当たって、荒とのコンタクトがないことを確認してますけど」

「三日経てば何かあるかもしれん」

「行くんですか？　丸腰ですか？」

「当たり前だ。連中は巷のガキよりよっぽど話が通じる。時山も異常犯罪者のタイプじゃないから心配いらん」

「そうですか。でも……」

「ビビるな。向こうも刑事なんかとトラブりたくないんだ」

「いや、とりあえず場所が場所だけに主任に報告だけしときます」

辻は言葉通り、捜査本部に無線を入れてから車を走らせた。

「あの……」

「ん……？」

「モリさん……って呼ばせてもらっていいですか？」

辻が機嫌を窺うように申し出た。

改まって何を言うかと思えば……人付き合いの苦手な男なのだろう、守年は思わず苦笑が込み上げてきた。

「何とでも好きに呼んでくれ」

「はい」

可児から岐阜市街までは一時間足らずというところだ。盆休みの岐阜は車が混んでいた。名鉄の路面電車が大きな通りの真ん中を危なっかしそうに走っていく。しばらく振りに見る風景だった。

岐阜駅から北へ三ブロック隔てたところに柳ヶ瀬地区がある。柳ヶ瀬通りを中心に髙島屋やメルサなどの百貨店をも取り込んだ一帯はアーケード型の商店街を形成している。小さな店舗が何本もの通りの左右にひしめき合って並んでいるのだ。大店舗時代の今日、苦戦を強いられているのはこの商店街も例外ではないだろうが、ここが岐阜の街の顔であることには変わりはない。

柳ヶ瀬を含めた岐阜の市街地は、車や路面電車が行き交う大通りにざっくりとブロックを区切られ、そのブロックの中を一方通行の狭い裏通りが網の目に張っている。だから、車に乗ったままでは何かと小回りが利かない。もどかしい思いをすることになる。

守年が《光輝会》の場所を教えたにもかかわらず、辻は左車線に入るタイミングを逸して、

ずいぶん離れてからようやく路側帯に車を停めた。

「すいません。もう一度回ってきましょうか」

「いや、いい。これくらい歩ける」

車を降りて歩道を歩く。百メートルほど歩いただけだったが、呼吸が乱れて足が重くなった。べっとりと背中に汗をかいた。

「大丈夫ですか?」

「ああ」

心配する辻に、切れた息でどうにか返事をする。ハンカチで頬を押さえながら一つのビルを仰ぎ見た。アーケード街から大通りを一つ隔てたところにある。

三階建てのビルは一階が《長良サービス》というリース会社で、二階が《一風荘》という雀荘だった。三階の看板はない。そこが《光輝会》だ。

「そこでコーヒー飲んでていいぞ」

守年は近くにある喫茶店を見やった。別に馬鹿にして言っているのではなく、何となく神経質に見えるこの青年を気遣ってみたくなった。

「まさか。一緒に行きますよ」

辻が強張った顔で言う。エレベーターに乗ると、辻も続いた。

三階で降りる。薄暗い踊り場の向こうに鉄の扉がある。〈光輝会〉の表札と代紋が掲げられている。

ブザーを押すと、インターフォンから「はい」という低音の声が聞こえた。

「県警の捜査一課だ」

しばらくしてポマードを利かせた若い男が扉を開けて顔を覗かせた。

「ちょっと入れてくれ」

守年は警察手帳を見せながら、男の身体を押しのけた。

入ってすぐに大部屋がある。三人の若い組員が警戒した眼つきで守年たちを見守っている。

「座らせてくれ」

守年は中央にあったソファに腰を下ろした。脱力して大きく息をつく。冷房がほどよく効いてありがたかった。辻を手招きして隣に座らせた。

「一課の刑事さんが何の用ですかね?」

気づくと中年のパンチパーマをかけた男が脇に立っていた。知らない顔だ。

「時山を呼んでくれ」

「時山? 三、四日前にもおたくとは違う人が来ましたな。それとはまた別のことですか?」

「同じだ。滝中が来たと言ってくれ」

男は少し考えるように守年を見ていたが、若い衆に目を移して、「トキさんはどこだ？」

と訊いた。時山は近くにいるようで、若い衆が呼びに出ていった。

この事務所に来たことは何度かあるが、まったく変わらない。薄汚れた白い壁に学校の教室のような木目の床。ソファも埃くさく、昭和の空気が部屋全体にある。奥に会長の部屋と

もう二部屋、打ち合わせか何かに使う小部屋がある。

五分ほどしてドアが開いた。

「こりゃまた、懐かしい」

守年の背後を回って男が一人現れた。時山次郎だ。

「ご無沙汰してますね。その節はお世話になりました」

言いながら、時山は向かいのソファに腰かけた。声はまぎれもなく時山だった。落ち着き払った低い声だ。しかし、風貌の印象は変わっていた。頬から顎にかけて肉がつき、髪の毛の生え際が上のほうへかなり後退している。青いシャツに渋い色のネクタイを締め、下は折り目の利いた光沢のあるスラックスを穿いていた。足を組み、革靴の硬そうなソールを見せる。指にはごついリングが光っている。

時山はすっかり恰幅のいいヤクザになっていた。

「ずいぶん変わったな」

「滝中さんこそ。そんなに痩せて大丈夫ですか?」

笑顔という言葉だけでは表現できない裏表のありそうな表情を時山は浮かべている。

「お前がこういう道に進むとはな。気良夫妻もとことん報われんな」

「まあ、人には無限の可能性があるように見えて、実は一つの道しかないってことをつくづく感じますね。これでもずいぶん謙虚に生きてるつもりですが」

「今の時代、しのぎも楽じゃないだろう。柳ヶ瀬みたいな庶民の街にくっついとっても食えんだろうに」

「まあ、小銭を稼いでぽちぽちやってますわ」

鷹揚に言い、不敵に笑う。

「ふむ。かみさんはいるのか?」

「五年目になりますわ。三つのガキがいましてね。俺もこの歳だし、かわいいもんですよ」

時山という男は、守年が取り調べの相手をした二十五歳当時でもたぶんに大人びていた。坂井田の子供っぽさとは対照的であったし、年上の荒でさえ見せていたおどおどした態度など、彼には微塵もなかった。

彼の口からは反省の弁がすらすらと暗記でもしているかのように出てきた。

「取り返しのつかない過ちを犯してしまいました」

「人の命の尊さに正面から向き合う人生を送ってこなかったと悔やんでいます」

「どんな刑罰も甘んじて受けるつもりです」

　その言い方は五十、六十の老獪（ろうかい）な男が職の立場上、謝罪するのと変わらない口調だった。

　その本性はポリグラフでも暴けなかった。

「ところでな。ほかでもない、荒から何か来とらんか？」

「この前もおたくのほうから訊きに来られましたけどね。何にもありませんよ。彼が出所し

てたことも知りませんでしたからね」

「いや……お前がどう思っとるか知らんけどな」

　守年は膝をかきながら、ゆっくりと言葉を選んだ。

「荒はお前を殺りに来るぞ」

「荒が？　どうして？」

　時山は淡々と煙草をくわえ、若い衆の火を受けた。

「どうして？　お前はどうして荒が坂井田を殺ったと思う？」

「それより、坂井田は本当に荒に殺られたんですか？」

「信じられんか？　荒なんかがそんな大それたことをするとは思えんか？」

「そんなことは言ってないでしょう」時山は鼻息一つ分だけ笑った。「荒っていうのは切れたら何するか分からん男ですよ。だからこそ俺はあんな犯罪に引きずり込まれた。それは承知の上ですよ」

「そうかな」守年は呟く。「俺は今でもお前の取り調べには悔いが残っててな。荒が身体を震わせてる姿も忘れられん。俺の力不足だったわ」

時山は守年を見据えて、眼を細めた。

「分かりませんね。何の根拠があるわけでなし、俺が主犯だなんて最後まで頑なに主張してたのは滝中さんだけでしょ。あのときはもう少しでやってもいない罪を認めそうになりましたよ。冤罪（えんざい）ってああやってできるんだなと思いましたけどね。暴力とかじゃないんですね。怖いのは刑事の思い込みですよ」

「確かにあのときは、最後は孤立無援でな。もう一つお前を追い詰め切れんかった。だけど今回はみんな、荒の動機はあのとき主犯に仕立て上げられた復讐だと見とる。うちの幹部連中はあのときの俺の声が耳に残っとる。無駄じゃなかったわ」

「滝中さん」

時山は低い声で呼び、ゆっくりと腕を組んだ。

「あのとき取調室での俺たちは、刑事と容疑者という立場を越えて、人間としての関係が築

けたと思ってますよ。お互いの家族の話もしましたね。釣り好きのお父さんと八代亜紀の歌が好きなお母さんはまだご健勝ですか？」

「他界したわ。十年前と八年前にな」

「そうですか。残念ですけどそれが時の流れというもんですか。では、勝気な江戸っ子娘だったという奥さんはお元気で……」

守年は首を振った。

「何とまあ。それはやり切れませんね。まだ若いでしょう。知らせてもらえば、手の一つも合わせに行きましたのに。じゃあ娘さんと二人だけですか。たまにしかあなたが帰らないから、あまりなついてくれないと言ってたあの娘さんと」

「ああ」と、守年は一言で流した。それにしてもよく二十一年前のそんな話を憶えているものだと感心したくなる。時山らしいと思った。

「一人の人間同士として話をしたから、そういうことも憶えています。その俺より荒の主張を信じるというのが分からない」

「お前が俺の話を憶えてるのは、人間的な関係を築いたからじゃない。お前がそういう抜け目のない人間だというだけのことだ。お前はずっと仮面をかぶったままだ。一瞬たりとも俺に素顔を見せちゃいない。荒のほうを信じるに決まっとるわな」

「寂しいですね」

時山はうつむいてかぶりを振る。笑っているようにも見えた。

「それで……荒というのは確かなんですか?」

「ああ。指紋も目撃も出とる。指名手配だ」

「じゃあ、そんなには逃げおおせんでしょう。警察は優秀ですからね。ましてや俺のもとにやってくるなんていうのは、ちょっと現実離れして失笑を買いますね」

「俺が荒だったらな、坂井田一人じゃ納得できんぞ」

「まあ、俺もこういう道に入って、かたぎのおっさんにむざむざ殺されるわけにもいかんのですわ。俺の前に現れたら、生け捕りにしておきましょう。そのときはあなたに渡しますよ。手柄にしたらいい」

動じる様子などまったくない。この男に復讐するのはさすがに現実的ではないと、守年も思わざるを得なかった。

「坂井田はな、誰かとは分からんかったようだが、誰かに襲われると怯えとったらしいぞ。お前はそういう心当たりはないんか?」

「ないですね。坂井田はシャブをやってたんでしょう。もちろんうちとは関係ないですよ。俺はたしなめましたけ名古屋で外人から買ってくるって彼から聞いたことがあるだけです。俺はたしなめましたけ

どね」

「坂井田とはよく連絡取っとったのか？」

「いや、半年に一回くらい思い出したように向こうから電話がかかってくるくらいでしたよ。そう言えば誰かに狙われてるなんて言ってましたね。チャカはいくらするんだなんて訊いてきてね。笑っちゃうでしょう。あれはヤク中ですよ」

「湯本は今、どこにおる？」

「さあ。噂では東京に行ったらしいですけど。彼はただの子供だったんだから関係ないでしょう」

「ふむ。まあ、何にしても用心だけはしとくことだな。坂井田にしても、関わり合った者が逝くのは寂しいわ」

「そりゃどうも温かい言葉をかけてもらって嬉しいですね。滝中さんもぜひ、お身体には気をつけて頂きたい……」

時山は組んだ足を戻して、少し身を乗り出した。

「死相が浮いてますよ」

地声よりさらに低い声で言う。

「眼がいいんだな」

「まあ、それだけが取り柄ですかな」

時山は守年より先に立ち上がった。守年も静かに立つ。

「そちらの見習い刑事さんも化粧なんぞにうつつを抜かさずに、この優秀な先輩から学びなさいよ」

守年の隣でじっとしていた辻は、時山の言葉には何も応えなかった。手を見たが震えてはいなかったので、守年は何となくホッとした。

「時山、毎朝お日様が昇る方角へ手を合わせろよ。美濃加茂のほうだ」

言い置いて外に出る。暑さに身体を慣らしながらエレベーターに乗った。

「お前、化粧なんてしてるのか?」

ちらりと辻を見たが、よく分からなかった。

「いえ……そういうわけじゃないですけど……」

辻は言いにくそうに口ごもった。

どうでもいい気がして、それ以上は守年も訊かなかった。

エレベーターのドアが一階で開くと、中年の男が外に一人立っていた。麻のハットをかぶり、こげ茶色のシャツに綿のよれよれズボンを穿いている。一目でカタギと分かる男だ。右手には不釣り合いなアタッシュケースを持っていた。守年たちと入れ替わりにエレベーター

へ入っていく。

あのアタッシュケースの中、よもや金が詰まってるのではないだろうなと、守年はふと思った。二階は雀荘だ。もちろん〈光輝会〉の息がかかっている。

「おい、あんた」

守年はエレベーターの中に入った男に声をかけた。

「あんまり無茶な賭けはすんなよ」

言われて、男はにこりと笑った。ドアが閉まる。

大金を持っているタイプには見えなかったが、カモにされるタイプには見えた。

2

時山次郎は滝中守年が事務所を出ていくのを見届けると、奥の小部屋に向かった。

「アイスコーヒーをもらってきてくれ」

若い衆にそう頼み、誰もいない小部屋のドアを閉めた。椅子に座り、煙草に火をつける。

しばらく煙草をくゆらせて物思いにふけっていた。ノックが鳴り、若い衆が下の雀荘から

もらってきたアイスコーヒーを丁重にテーブルへ運んだ。頭を下げて出ていく。

時山はそれをブラックのまま一気に飲み干して、テーブルの上の、湯本弘和の携帯番号をプッシュした。

百件くらいの番号は暗記している。その中の一つ、湯本弘和の携帯番号をプッシュした。

「ヒロか？」

回線がつながってそう切り出すと、弘和はすぐに反応した。

「トキさんか？」

「ああ」

弘和とも坂井田と同じように、今では半年に一度ほどしか連絡を取っていない。出所した

直後は頻繁に電話のやり取りもしたが、ヤクザの道に踏み込んでから、弘和の口調によそよ

そしさがにじむようになった。

「今、ええか？」

「ああ、大丈夫だ」

「ヒロのとこ、刑事が来んかったか？」

近況報告もなしに訊く。

「いや。来とらん。何で？」

「坂井田のこと、新聞かテレビで見んかったか?」

「何を? ここんとこ、撮影旅行が続いとって何も分からんのだ」

「坂井田がな、荒に刺された」

「え?」

弘和の声には疑いの笑いが混じっていた。

「本当だ。指名手配されたらしい。刑事が俺のとこに来てな、今度はお前を狙いに来るぞって言っていきよったわ」

話しているうちに、時山にも笑いが込み上げてきた。二人でしばらく笑った。考えるにつけ、馬鹿馬鹿しい話だった。

「まあ、せいぜい気をつけるわ」

弘和がひとしきり笑ったあとで言った。

「どうだ、仕事のほうは?」

「まあまあっすよ。別に自慢するほどのもんでもないし」

「ヒロ。お前なら成功する。頑張れよ」

「トキさん、まだヤクザやっとるんか?」

「ああ。すっかり馴染んだわ」

間があった。寂しい沈黙だと思った。

「トキさん……俺はあんたに憧れとったけど、あんたのように生きたいとは思わんわ」

「そうか」

賢い男だ。

「それ聞いて安心したわ」

電話を切り、もう一本煙草を吸った。

「次郎ちゃん」

呼びながらドアを開けたのは、兄貴分の奥山だった。五十代半ばで商才もないヤクザだが、麻雀だけは腕が立つ。ほとんどそれだけで食っていると言っていい。

「例のカモネギが来たわ。囲もう」

ニヤニヤと嬉しそうに笑っている。

全自動卓が普及してから奥山自ら秘技と呼ぶ牌の積み込みはできなくなった。その代わり、彼は下の雀荘にある全自動卓を改造している。強力な電磁石を雀卓に埋め込み、対応する牌をいくつか混ぜておくことによって、リモコンボタン一つで三元牌などが積み込めるようにしてある。

そういう仕掛けを知らずに、来店を重ねるごとにどんどん高いレートの賭け麻雀に手を出

してくる客がいるのだ。

「またまたアタッシュケース持っちゃってよ、今日は五百万入れてきたんだとさ。よっぽど
この前、百万負けたのが悔しかったんだぜ。どこまでエスカレートしてくるかだよな。今日
は花を持たせるか。それとも総取りするか」

「どれだけ金が出るか、近いうちに身上調査せんといかんですね。今日はこの前の三倍くら
いにして、二、三百万の勝負にしときましょう。面子は？」

「野中ちゃんがおる」

「そりゃいい。あの人すぐ熱くなるから、カモネギも燃えるわ」

時山は煙草をもみ消して、立ち上がった。

「行きますか」

3

「次はどこに行きますか？」

車に乗り込んで、辻が訊く。

「荒の兄貴のところだな。何人も行っとるだろうが、盆休みが明けんうちに会っとかんかん」

「分かりました」

「その前にな、加茂署の盗犯係に福地っていう男がおる。ちょっと大回りになるかしらんけど、そいつを拾って行こう」

連絡を取ると、福地大輔は加茂署に福地っていう男がおる。今年、本厄を迎えるという。守年の病気は心得ていて、彼自身は助手席に座り、守年には後部座席で横になれと勧めてくれた。

多治見から中央自動車道に乗り、小牧ジャンクションで東名高速に入って静岡方面へ南下する。途中、上郷サービスエリアで昼食を取ってから岡崎インターで高速を降り、幸田町へと向かった。

自宅の公団アパートに荒知良はいた。知良は守年が警察を名乗っても、表情一つ変えなかった。それほど出てきたときから沈んだ顔つきをしていた。居間に上がらせてもらい、一日で日本人ではないと分かる奥さんにお茶を淹れてもらった。

荒は出所の日にこちらへ帰ってきている。それ以降一度も連絡がないというのは、捜査本

部で聞いた通りだった。二十一年前の事件後の荒については、「一他人と言っていいほど知良は何も知らなかった。

「あいつは甘やかされて育ったんです。小さい頃は身体が弱くてね、よく熱を出しちゃあ学校を休んでました。まあ、今で言ういじめみたいなもんがあってね、それで身体が通学を受けつけない、一種の登校拒否症だったんでしょうな。現代っ子の走りっていうんですかね」

荒の少年時代の話は、二十一年前に聞いている。父親は荒が中学生のときに逝ってしまったが、それまでは針金やワイヤーなどを製造する工場を経営して、それなりに軌道に乗せていたという。工場には母親も駆り出され、荒兄弟の世話はもっぱら祖母が担っていたらしい。父母は子供と接する時間が取れない分、祖母を通じて勝明が欲しがる物は何でも買い与えていた。それが兄の言う甘やかされたということなのだろう。

「俺はそれでも親の働いてるとこ、見て育ったんですがね、あいつの頃はもう工場は家から離れてしまってって、親の苦労いうもんは見んと育ってまったでね」

父が死んだあと、母親が何とか工場を支えていたが、それまでの無理がたたったのか健康がすぐれなかったという。勝明が中学卒業後、社会に出る選択をしたために、母親は思い切って工場を閉鎖し、パートで細々と自分の暮らせる分だけを稼ぐという生活に変えた。

時間の余裕ができた母親は、過去を取り戻すように何かと勝明の身の回りの世話を焼くよ

うになった。勝明が職を転々として落ち着かないのは母親が干渉し過ぎるからだと思っていた知良は、自身が結婚したのを機に、勝明を実家から追い出して独り立ちを強いたのだった。

「美濃加茂の事件のときはまだ大人になり切っとらんから、ああいうこともやれたんやろかと思いましたけどね。実の弟ながらよう分かりませんわ。出所してここに帰ってきたときは、仏さんの前で泣いとりました。あの涙も何やったのか……」

そう言って、彼は湿った笑い声を上げた。

「今度あいつが顔を見せたら、この手で殺してやりたいですわ。本当にね……」

「まあ、お兄さん、気持ちは分かりますけどね。何で彼がまたこういう事件を起こしたのか、それを解き明かさんことには関係者全員が報われんもんですし、そうやってけりをつけてくのが今の世のあり方っていうもんですから。それにはまず、弟さんを見つけないかんのです
わ」

守年が語りかけると、知良はうつむいたまま頷いた。

「それで、例の山田さんという支援者の方ですけど、お兄さんは何度か会っておられるわけですよね?」

「ええ。ただ、電話番号は渡しましたけど、実際に勝明が会いに行ったのかどうかは分からんのです。勝明自身には面識がないもんですから」

「はいはい、分かってます。でも、手がかりの一つには違いない。今日はね、うちの似顔絵

の達人を連れてきたんです。ちょっと協力してもらえませんかね」

福地は絵の才能などひとかけらもない守年にはほとんど神業としか思えないようなペンさ

ばきで、人間の顔を白い紙の上に描き出す。彼の似顔絵が決め手となって検挙にこぎ着けた

窃盗犯や強盗犯は、守年が知っているだけでも片手では数えられない。

「何ちゅうか……眼鏡をかけてまして、それほど特徴のない顔した人でね……」

そんな一言だけで、彼は「なるほど」と言いながら、一人の男の顔を描いてしまう。黙々

とシャープペンを走らせる。

「こんな感じですかね？」

知良が眼を細めてそれを見る。

「いや、全然違うね。もうちょっと鼻筋が通ってて、品のある顔つきで……」

「なるほど……」

紙を替えて、またペンをせわしげに動かす。

「こんな感じですか？」

「うーん。違いますね。もっと顎は尖って、唇はぽてっとした感じで、全体的に若々しさが

あって……」

そう言って福地は何十回と描き直し、知良が首を捻りながらも何も言わなくなったところ
で、今度は最後の顔をもとに横顔や斜めからの顔などを描いてみせた。

「ああ、そうです。そうです。こんな感じの人でした」

知良がそう言ったところで、福地はスケッチブックを閉じ、守年に目配せした。

「なるほど……」

「悪いな。忙しいのに付き合わせて」

車に戻って助手席の福地に礼を言う。

「いやいや。モリさんは面のことになると、からっきし駄目ですからね。気の毒で手を差し
伸べずにはいられませんよ」福地は前を向いたまま、明るい声を出した。

「お前みたいな特技があるやつが羨ましいよ」

「何をおっしゃいます。こういうプラスマイナスで人間社会は成り立ってるんですから」

「まったくだな」

守年は後部座席で足を折り曲げて、だるい身体を横たえた。狭い天井を見ながら相槌を打
つ。

「俺が訊いてもちんぷんかんぷんかもしれんけど、絵のコツっていうのは何だ?」

「まあ、私のは似顔絵だけですけどね、やっぱり顔というのを立体的に視覚認識するってことでしょうな」

「ふむ。真正面の顔から横顔を描いてみせたな。ああいうことか?」

「そうです。顔っていうのは一人に一つしかないわけですよ。平面的に捉えると、それこそ一人の人間に何十通りもの顔が成立しちゃいます。顔なんて角度によって違って見えますからね。表情によっても違う。モリさんなんかはたぶん、人の顔を平面的に捉えてるんじゃないですか。一人の顔について真正面の顔、横顔、斜め十五度の顔、斜め三十度の顔、斜め四十五度の顔なんていうふうに一通り頭の中にインプットしないと、今度遭ったときに同一人物かどうか、記憶との合致ができないわけです。データにない角度から人を見てしまえば、同一人物じゃないという判断ミスにつながったりする。データインプットしなきゃいけない情報が多いだけに混乱して収拾がつかないことにもなる」

「なるほど。記憶力が悪いというだけでもないんだな」

「ええ。それに対して立体的な視覚認識ができると、データは一つだけでいいんです。そこから自ずとバリエーションを生み出せるんですからね」

「ふむ。電卓とコンピュータぐらいの違いはあるな」

「あとはいかにイメージをそのままの形で紙に乗せるかということですけどね。かの石ノ森

章太郎も自らを『眼高手低』だと嘆いている。イメージを表現する腕が思うように動いてく
れないって言ってるんですね。まあ、絵描きの永遠のテーマですよ」

「それでも、お前さんほどの腕になれば面白いんだろうな」

「面白いって言や、面白いっすねえ。結局人間の顔なんて頭骨と髪、顎、頬、それから耳、
眼・鼻、口、歯、そして眉毛、睫毛、ひげ、これらのパーツの形と位置関係で決まるわけで
しょ。同じパーツを使いながら、顔っていうのは千差万別なんですから。それこそ美人から
醜男まで作れるわけです。微妙な配合なんですよね」

守年は福地の話に対して一つ唸り、それから身体のしんどさに対してもう一つ唸った。

「特殊な技能だな」

「そうでもありませんよ」

「俺なんかには計り知れん世界だ。我ながら呆れるほど人の顔を気にしてないんだからな」

「誰しも人の顔なんて見ているようで見てないんですよ。せいぜいどこに視線を向けてるか
とか、笑ってるか怒ってるかとか、見てもその程度でしょう。映画なんかでも出てきた外国
人俳優の顔を憶えたと思ったって、違う服で出てくると分かんなくなるわけですよ。私だっ
て仕事だから集中して見てるだけでね。そうじゃないときはぼうっと見てるだけですよ。誰
しもそうでしょう」

福地は自分の意見を反芻するように間を置いた。

「なんて言いながらも、たまにドキッとするくらい観察してる人がいて、気味の悪い思いをするときもありますしな」

「あるな。それは多い」

守年もいろいろ思い当たって、ニヤリとさせられた。

「普通、同性の顔はあまり見ませんわな。だから気味悪いくらい見られてるのは、たいていおばさん連中にですよ。『あんた、目やにがついとるで』とかね、『そこ、ひげが残っとるがね』なんて、よう見てるわって思いますわ」

「見てるようで見てない。見てないようで見てるか。人間の意識は覚醒と麻痺の連続で成り立ってるっていうことだろうな」

「その通りですよ。人と違う何かを見つけると、そこにだけ集中して覚醒しますしね。『顎のとこにほくろがついとった』とか目撃者も自信満々でね。目立たすためにわざとほくろをマジックで描いとる泥棒もおったし。そういう特徴があると、それ ばっか見て、顔の全体が逆にぼやけてしまうんですわ」

「フフフ。そんなものかもな」

「自分の顔でも一緒ですよ。自分のだから意識が麻痺しちゃってね。ここに吹き出物ができ

たとか、髪が薄くなったなあとか、そういうことしか思わんでしょ。造り自体は変わりませんもんね。そんでも、ある日突然覚醒することがあるんですよ。あれ、俺の顔ってこんなに不細工だったんか、ってね。そうなるともう、自分の顔が嫌で嫌でたまらなくなるわけです。別に普通の顔なのにね。そう思い込んで悩んじゃうんです」

『醜形恐怖症』っていってね、神経症の一種ですわ。実際あるんですよ。

「そりゃ当の本人にとったら切実な問題ですしね。悩みとノイローゼは紙一重なんでしょう」

「『みにくいアヒルの子』だろ、それは。そんなたいそうな病名がつくのか」

「僕……」

「ふむ……」

不意に、運転に専念していたと思っていた辻が声を発した。会話の中に割って入るには十分なほど強い声だった。

「僕も……そんなようなもんです」

「そんなようなとは？」福地が訊く。

「醜形恐怖症とはちょっと違うかもしれないけど……自分の顔が嫌で悩んだりすることがあるんですよ」

彼の言葉には地の底のほうへ徐々に沈殿していくような重さが感じられた。守年はゆっくりと身体を起こした。

「ほう」福地が感心したようにも取れる声を上げた。「でも、あんたさんこそ、ごく普通の顔しとる。それが醜形恐怖症って言うんだに」

「普通の顔じゃないですよ。隠してるだけでね、顔の右側に青痣があるんです」

「ほう。どれ、見してみい」

福地が身を乗り出して、前から辻の顔を覗こうとする。

「おい、危ないぞ」

守年がたしなめて、福地はすぐに腰を戻した。

「それはカバーマークなんやな」

「そうです」と、辻は短く答えた。

「カバーマークって何だ?」

守年が訊くと、福地が半身になって守年と辻を交互に見た。

「言ってみりゃ、顔の痣や染みを隠すため専門の化粧品ですよ」

なるほど、それで時山が化粧うんぬんと言っていたのかと、守年は気づいた。口紅やアイシャドーを塗っているわけでなし、何を言っているのだと思っていた。化粧の一種というか

らには、光線の当たり具合で何かを塗っているというのが分かるのだろう。守年はまったく気づかなかった。というより、いつもの調子であまり辻の顔などしげしげとは見てなかったのだ。

「別にそんなことわざわざ言わんでも気づかんのに」福地が明朗な口調に戻って言う。

「どっちにしろ一課の人たちは知ってますから」

「ふむ。それやったらモリさんにも早いとこカミングアウトしといたほうがええっちゅうことやな」

「人に知られてるのに隠す意味があるのか?」

守年の思ったままの疑問に、辻の後頭部が小さく動いた。

「あります。隠すと決めたから隠すんです」

理屈はなかったが、そのほうが強い意思を感じることができた。福地が付け加えるように類推する。

「いちいち人の目にも引っかかるでな。そういうことやろ。そりゃ隠しときゃあジロジロ見られることもないし、鏡見るたんびに気が重くならんでも済むでな。そのほうがいいかもしれん」

「それで少しは楽になるのか?」

「気休めですよ」

辻が答える。その言葉には何となく自嘲めいたものがこもっていた。

「あと、どうしますか？」

加茂署で福地を降ろして、辻が訊いてきた。

「うん……」

頭が回らなかった。高速道路を走っている間、守年は眠りに落ちていた。福地がドアを開ける音で目を覚ましたのだった。

「お前に行きたいところがあれば任せるわ。ちょっとトイレに行かせてくれ」

加茂署の一階トイレで用を足して戻ってくると、辻の様子が変わっていた。

「可児署に戻りましょう。今、無線連絡で待機命令が出ました。柳ヶ瀬の〈光輝会〉で事件が起こったみたいです」

「何？」

〈光輝会〉という言葉に、残っていた眠気も飛んだ。可児署の捜査本部に待機命令が出るというのは、荒と何かのつながりがあるのか。

嫌な予感がした。

捜査本部に戻ったのは五時を回ったところだった。半数以上の捜査員が戻ってきていた。

守年のあとにも続々と捜査員が集まり、五時二十分頃にはまだ名古屋を走っているという一組を除いて、全員がそろった。

庄村の姿はなかった。その代わりに、課長代理の段林功治が吉井係長の横にいた。二歳年下の段林とは守年も若い頃に聞き込みの班を組んだことがあったが、相性はよくなかった。自分もそうだからか、どうも気の強い相手とは組みづらいのだった。

「ちょっと静かに聞いてくれ」

吉井が言って、捜査員の注意を向けると、段林課長代理が立ち上がった。四角い顔をして、ロボットのような金属的雰囲気のある男だった。身体も大きく、「岐阜のロボコップ」として他県の捜査機関にも知られているという。

「今から報告会議を始めるが、今日はぜひ報告しておかねばならないという事項だけに留めておいてくれ。我々は現在、本日午後四時過ぎに発生した岐阜中署管内の殺人事件について、その動向に注目している」

段林はテーブルに手をついて捜査員たちを見回しながら言う。

「事件は岐阜市高野町、暴力団〈光輝会〉下の麻雀店〈一風荘〉で発生。フリーの男性客一人が一緒に麻雀卓を囲んでいた客二人を殺害の上、徒歩で北、つまり長良川方向に逃走した。

　被害者は〈光輝会〉構成員、時山次郎、四十六歳。同じく〈光輝会〉構成員、奥山靖、五十五歳」

　部屋の中がざわついた。守年も思わず唸り声を上げた。血の気が引いたように寒くなり、それからすぐに身体の中が火照ってきた。落ち着いて座っていられない衝動を何とか抑えた。

「加害者の身元は不明！」

　段林はざわめきをかき消すように声のボリュームを上げた。

「店主及び四人目のメンバーの証言によると、加害者はここ二カ月ほど前から五、六度来店していた五十歳前後の男で、自称大石。岐阜市内の整形外科病院の事務局長を務めているとの話だった。今のところ該当する病院、及び人物は確認されていない。現在、機捜及び鑑識が初動捜査に当たっている。担当は一課三係、及び四課。逃走犯の逮捕に見通しが立たなければ中署に帳場を立てることになると思われる」

　段林は喉が渇いたのか、湯呑みのお茶をあおって喉仏を上下に動かした。何人かの捜査員もつられて自分のお茶を口に持っていった。

「さて、我々は引き続きこちらの事件に全力を傾けねばならないが、気になるのは雀荘の事件の被害者が時山次郎であるということだ。言うまでもなく、時山は美濃加茂一家殺傷放火事件の犯人の一人であり、この帳場で追っている荒、そして被害者の坂井田とは犯行仲間に

あたる。今日の事件が荒に関係しているかどうかはまだ分からないが、もしつながりが見えるようなら、両方の事件をリンクさせた捜査が必要になるだろう」

そうなれば一挙に五十人規模の捜査本部が出来上がることになる。岐阜県内では滅多にない態勢だ。

「この会議後、可児署の諸君は速やかに解散、それぞれの予定にしたがって行動してもらいたい。一課の諸君については今言った可能性が予測されるために、岐阜の現場に出向き、担当捜査員の妨害にならない範囲で事件の状況を把握しておくことを勧めておきたい」

段林は最後に「以上」と小さく言い、さりげなく睨みを利かして椅子に腰かけた。

報告会議は十分足らずで終了し、守年を含めた一課の刑事たちは可児署の巡査長が運転するマイクロバス型の警備輸送車に乗って、岐阜の現場まで向かった。着いたときは七時を過ぎ、街はすっかり夕闇に覆われていた。

〈光輝会〉のビルの前を南北に走っている大通りは、二重に路上駐車した警察車両のために一車線が規制されて、北行きの渋滞がひどくかった。ビルの前には、物々しくいくつもの赤色灯が回っていた。

ビルの二階は窓が開け放たれ、中の明かりが異様な眩さを放っている。守年はビルに入る

と、エレベーターで二階に上がった。

「失礼」

作業中の鑑識係の脇をすり抜けながら、〈一風荘〉の店内に入る。中でも数人の捜査員が動いていた。

赤いカーペットの敷き詰められた店内には、六台の麻雀卓と、一台につき四つの肘掛け椅子が並んでいた。三十畳ほどの広さで、それに小さな厨房がついている。通り側の窓に近い卓の下、カーペットが一面にどす黒い染みを残していた。血は壁やほかの台にも飛んでいる。死体はすでにない。窓が開け放たれているからか、血腥さはそれほどなかった。

十人からの見学者がやってきたので、作業中の捜査員は眉をひそめて迷惑そうな顔を見せた。しかしその中にあって、床に這いつくばっていた一人が勢いよく立ち上がった。

「モリさん。どうしたんですか?」

一課三係の猪俣岳志主任だった。驚きに満ちた声とは反対に、顔は嬉しそうな笑みであふれていた。

「うん。実はね……」

守年は加茂署から五係に出向して、可児の事件を追っていることと、この事件との結びつきの可能性を簡単に説明した。ただ、猪俣はそれをほとんど聞いていないようで、しきりに

守年の肩をさすりながらニコニコとしていた。

「いやあ、ちょっと痩せましたか？　でも元気そうで何よりですよ。入院したって聞いてはいたんですけどね、あんまり押しかけてって気を遣わすのも何だし、モリさんってそういうの嫌うタイプだからなあって思って。心配はしてたんですよ。そうかあ、こうやって現場に出てこられるようになりましたか」

加茂署に異動する前に守年が所属していた係が、猪俣のいる三係だった。猪俣は四十五歳になる警部補で、守年が一課を去ってから主任になったと聞いている。ひげが濃く、徹夜明けの彼を見ると、口の周りが黒々としている。ビーバーのような顔だ。普段は日に三度シェーバーを当てるらしい。なかなか人懐っこい性格で、守年とは気が合った。

ひとしきり再会を喜んだところで、猪俣は時山たちが囲んだと思われる卓とは離れたところから肘掛け椅子を一つ引いて、守年に勧めた。彼自身も隣に椅子を持ってくる。詳しい状況を教えてくれるらしい。守年は辻を手招きして、呼び寄せた。

「死体は今、岐大の医学部に運んで司法解剖に回されたところです。まあ、目撃者も複数いるし、凶器も出てるんで、解剖の結果を待たなくとも支障はないんですけどね。いやあ、それにしても凄まじい死体ですよ。モリさん、あれは見んでよかったわ」

しみじみと目をつぶって猪俣は言う。

「もったいぶらんと。何なんだ？」

「いや、もったいぶってるわけじゃないんですけど……」

猪俣は本当に言いづらそうに数秒の間を置き、それから意を決したように守年を見て、「時山なんてね」と言いながら自分の手を首の横で振った。「スパーッですわ」

「切られたのか」

「切られたって言ったって、頸動脈を切られたとかそんなんじゃないんですよ。まあ、最初から話しましょう」

猪俣は表通り側の三台のうち、真ん中の血にまみれた雀卓を指した。

「あそこの卓ですけどね。窓側に男が座ってて、時計と反対回り、下家側に時山が、対面に奥山が、そして上家側にここの常連客の野中さんっていうおっさんが座っとったんですわ。で、どうも野中さんを抜きにして、男と時山、奥山の間で相当高い外馬の設定があったみたいでね。この面子でやるのは四度目らしいけど、過去には百万近い現金のやり取りをこの野中さんが見とるわけですわ。さらに今日は直感としてそれ以上のレートでやっとるなと、そう思ったと彼は証言しとります」

「その野中っていう人は何者だ？」

「うんまあ、ゴルフショップの親父なんですけど、ヤクザじゃありませんね。ただの博打狂

でしょ。男とも麻雀以外での面識はないようです」

「なるほど。それで?」

「ええ。それで昼前、十一時くらいに始まって半荘六回まては勝ったり負けたりしながらほとんどトントンで動いておったと。それでそろそろ野中さんも疲れてきて、次で終わりにしようって言って、七回目に入ったわけですな。ところがその七回目で、親の奥山が面前の大三元を男から上がったんですよ」

「面前? それはイカサマじゃないのか?」

面前というのは、他人の捨てた牌をポンやチーでもらうことなく、自分の手の中で純粋に役を完成させることだ。役満の大三元は難易度の高い手だが、面前で作ろうと思えばさらに難しい。

「ええ。いかにも疑わしいですけど、全自動卓だし、何ともけちのつけようがありませんわな。結局最後の半荘で、奥山が大勝ちして男が大負けした格好ですわ。で、まあ精算となりまして、野中さんを除く三人の間では指文字が飛び交っておったと。野中さんもあまり見んようにはしとったけど、どうも二百万前後のやり取りになっとったんじゃないかっていうことです。それでも負けた男は青ざめた感じでもなく、淡々とした様子でね。本当は悔しいんだろうけど、いさぎよく金を払おうとしてるのを見て、野中さんもなかなかの男だなと思っ

たということですわ」

　話し込むにつれ、猪俣の声が小さくなる。

「それで負けた男は足元のかばんから小さな巾着袋を出してね。四、五百万は入っとる厚みの袋ですわ。で、そっから札束取り出すんかなと思ったら、また、足元に屈んで何かを取ったんだと。そしたらふらっと立ち上がったらしいですよ。全員、卓の上の巾着袋に気を取られてて無警戒ですもんね」

　負けた腹いせか、金を払いたくないばかりに及んだ犯行のようだと守年は思った。博打がらみの極めて単純な事件の域を出ない。

「それで、いきなりナイフか何かを出してきたわけだな?」

　焦らす猪俣を急かそうと、守年が訊く。

「鎌です」

「鎌っ?」

「刃がこれくらいの長さのやつでね……」

　猪俣は自分の肩幅くらいに手を広げてみせた。

「柄まで全部鋼でできてましてね、厚くて重量感のあるやつです。柄の部分は滑り止めに布を巻いてありました。市販のものじゃなくて、手造りのようでしたね」

麻雀をするのに、かばんに手造りの鎌を入れてきたというのか。

「分かった。続けてくれ」守年は唸りながらも先を促した。

「はい。男はいきなり立ち上がって、時山の首目がけて野球選手がバットを振るように両手で鎌を振り抜いたらしいです。つまり、鎌は時山の後ろから首を捉えて、前に抜けていったわけです」

「抜けていった?」

「ええ。時山の身体がね、前につんのめるようにバタンと倒れたと思ったら、生首が雀卓の上に転がってたっていうことですわ……大丈夫ですか。モリさん?」

「ああ、大丈夫だ」

守年は流れ落ちてくる汗をハンカチで拭った。汗はかいているが、暑いという感覚はなかった。

「それからね、今度はその男、続けざまに鎌を振りかぶって、対面にいた奥山の脳天に思い切り振り下ろしたっていうんですよ。奥山は頭に鎌を突き刺したまんま、椅子の背もたれに身体を預けて昇天ですよ。あっという間の出来事。その間、ものの三秒ってとこでしょう。そのあと男は巾着袋を手に取って、背中を向けるやいなや、後ろの窓を開けて下の通りに飛び降りたと。それで、そのまんま逃げていったということですわ」

守年はしばらく絶句していた。　意味もなく唸り、気を落ち着ける。

「前に時山たちと卓を囲んだときは、どういう勝ち負けだったんだ？」

「野中さんと店主の話を総合しますとね。　勝ったり負けたりで、逃走した男が数十万勝ったこともあったみたいですよ。　でも前回は百万くらい男が負けてたらしいですけど」

前回の負けで、今回もまた大負けしたらという頭があって、凶器を用意していたというこ

とだろうか。　あり得なくもないだろう。　田舎の者なら、ナイフより鎌のほうが用意しやすい

かもしれない。

しかし、それにしては手際が鮮やか過ぎる。　派手な上に、二人を一撃ずつで仕留めている。

さらには、窓から飛び降りて逃げるというのはどういうことだ。　狭い入口とエレベーターか

階段を通らなければならないリスクを瞬時に避けているということだろう。　そこにはどうし

ても計画性が垣間見える。

「いくらかの異常性はあると思いますけど」立ったままで聞いていた辻が、口を重そうに開

いた。「ただ、今のところ荒との接点は見えてきませんね」

「ふむ。　そうだな。　同じ卓を囲んでおいて、時山が荒に気づかないということはないだろう。

しかも、今回が初めてというわけではないんだからな」

「まあ、それはそうですけどね、モリさん」猪俣は唇をなめながら言った。「もう一人の被

害者、奥山靖は憶えてませんか?」

「いや、憶えとる。二十一年前の事件の前、荒と卓を囲んで何十万かカモッたとかいって名前が上った男だろ」

調べていけば、あの頃の柳ヶ瀬界隈では〈雀ゴロの奥〉などと呼ばれ、積み込み技を駆使して賭け麻雀で稼ぐイカサマ師だった。ただ、荒の麻雀仲間もヤクザ相手ということでか、いまいち証言が曖昧だった上に、奥山本人もシラを切り通した。借用書も出てこなかった。

だが、荒に借金があったという可能性は荒の動機面での重要な参考とされ、荒主犯説を唱える捜査員たちの拠りどころとなっていた。

「だから、被害者二人とも荒に関わりがあるということではあるんですよ」

「ふむ」

思い返せば思い返すほど、二十一年前の事件は真相の解明が中途半端だったように思われる。あの当時は非道な犯行手口に対する怒りや残された子供に対する同情から、容疑者を糾弾する世間の声が収まらず、警察も検察もただとにかく容疑者を司法のベルトコンベアに乗せることに躍起になっていたのだ。今考えれば、疑問を突き詰める作業が一つも二つも抜けていた。そう言わざるを得ない。

この事件が荒に関係するのかは分からない。だが、荒の沈痛な叫びがどこかから聞こえて

くるような気がしてならなかった。

「凶器は現場に残ってたんだな？」

「ええ、麻雀牌と一緒に持っていきました。鎌の柄は布地だけに指紋はどうかなあと思うんですけど、牌は探せばいくつか取れるんじゃないですかね。それからかばんも残ってましたね。アタッシュケース」

「おい」

守年はむんずと猪俣の腕を摑んだ。猪俣がびっくりしたように身体をのけぞらせる。

「アタッシュケースって言ったか？　今、アタッシュケースって言ったな？」

「ええ……それが？」

「そうか、十一時って言ったら、俺たちがここを出て三十分も経ってないってことだ。なあ？」

守年はほとんど独り言のように言い、辻に同意を求めた。辻が「ええ」とはっきり答えた。

「何、モリさん、今日ここへ来てたんですか？」

「ああ、言ってなかったか」

「聞いてませんよ。そんなの早く言って下さいよ」

「いや、悪かった。荒の件で時山に会いに来てな。少し話をした。それから帰るときにエレ

ベーターの前でアタッシュケースを持った男にも出くわした。確か帽子をかぶっててな、中肉中背、五十歳前後、色白でラフな格好をしとった」

「そいつですよ。こげ茶色の綿シャツに、ゆったりした濃紺色のズボン。靴も濃紺のスニーカー。帽子は麻のメッシュ。そうですね?」

「ああ、そうだ。そうだった」

「そいつの顔、見てますか?」

「ああ、見てる」

「じゃあ、似顔絵に付き合って下さい」

「ああ……」

返事がひどく弱々しくなってしまった。頭の中で男の顔を思い出そうとしたが、浮かんでこないのだ。

「辻、お前、憶えてないか?」

一縷の望みを託して訊いたが、駄目だった。

「いえ、僕は気にも留めてなかったもんで。すいません」

普通の通りすがりであれば、憶えていないのも当然だろう。しかし、守年は男に声をかけていた。アタッシュケースとカタギ風の身なりがアンバランスで気に留めていたのだ。

「モリさんも見てるんなら、荒ではないってことでしょうね」

そう言われて、守年は血の気が引いた。荒ではないと思う。いくら何でも荒を追っている

ときに荒を見ればピンとくるはずだ。しかし、そうと断定していいものかどうか。

結局、守年は曖昧に唸るしかできなかった。

「明日、絵描きを寄越しますよ。お願いします」

猪俣はメモ帳にペンを走らせながら言った。

「いや……俺のほうで知り合いに描いてもらうわ。それを取りに来てくれ」

守年は虚ろにそう応えた。

4

机の引き出しを開け、日記帳に触れたところで辻は手を止めた。

こんな置き方はしていない。微妙に角度が変わっている。

「おい……」

憤りを抑えながら、キッチンにいる妻の笙子を呼んだ。笙子は洗いものをしている手を休

めて辻のほうに視線を向けた。

「俺の机のものを勝手に触るのはやめろって言ってるだろ」

彼女は鼻から一つ息を抜き、遅い夕食の後片づけに戻った。

「何を言うのかと思ったら……」

そう呟くのが聞こえた。

何を言うのかと思ったら？　そんな返答があるか。　夫婦だからといって人の日記をこそこ

そと見るなということだ。

そう思いつつも辻は、自分が仕事から帰ってきて、今初めて口を開いたのだということに

気づいた。夕飯を彼女と食べている間は一言の会話もなかった。それを彼女は言っているの

だろう。自分がそういう空気を作っていたことは認めねばならないのか。

怒りの矛先を向ける場所をなくし、辻は黙って部屋に戻った。

辻より二つ年上の彼女は、結婚を機に婦人警官を辞めて世話女房に徹していた。彼

女には何の落ち度もない。鬱々としている辻を何とか支えようと気を遣ってくれたし、官

舎が落ち着かないと言えば、民間のアパート暮らしにも賛成してくれた。スポーツがいいと

それどころか、彼女は鬱々としている辻を何とか支えようと気を遣ってくれてもいた。官

聞けばテニスに誘い、音楽がいいと聞けばコンサートに誘い、ペットがいいと聞けばハムスターを買ってきてくれた。しかし、彼女が懸命になるほど、辻には重荷にしかならなかった。

今、テニスラケットは押し入れの片隅に入り、ハムスターはリビングの窓際で孤独に生きている。

こういうのは夫婦で分かち合う問題ではないのだ。夫婦だろうが親子だろうが兄弟だろうが関係ない。自分一人で抱え抜かねばならない問題なのだ。

今日も重たいものを抱えてきてしまった。午前中に目の前で話をしていた人間が、夕方には殺されていた。あれほどふてぶてしいまでに生命力をみなぎらせてふんぞり返っていた男が、あっけなく命を絶たれ、この世から姿を消した。

辻の繕いを冷徹な目で一瞬にして剝いだ男だった。彼の前ではカバーマークなど何の意味もなさなかった。痣は隠れていても、その劣等感は見透かされていた。彼にその気さえあれば、容赦なくその一点に刃を向けてくることができた。そういう恐ろしい男だった。

盛者必衰というのか。何ともやるせなく思う。

そして同時に、そんな男があっさりと消えてくれたことに、心のどこかで溜飲 (りゅういん) が下がったような感覚がある。そんな自分にも嫌悪に近いやるせなさを感じている。

思い出す。

初めは目立たなかった痣が、青黒く誰の目にも留まるようになったのは、小学二年生の頃だ。

小学三年生の新しいクラスになって、辻の前に座った武村という男が言った。

「お前の顔、カビが生えとるがや」

身体が大きく、粗野でズケズケとものを言う男だった。間もなく武村は、辻に対してのび太ならぬ「カビ太」というあだ名をつけた。その俗悪なネーミングは、ほかのクラスメートたちから盛大な笑いを取った。それまで辻の顔に触れなかった連中も、大きな口を開けて笑っていた。ここには一人の味方もいないのだと辻は悟った。

図工で自分の似顔絵を描くという時間があった。

自分の顔をどう描けばいいのか。子供心に激しい葛藤に苛まれながら、辻は画用紙を前にしていた。

結局、顔は肌色に塗った。嘘だと思いながらも、自らそこに痣を足すことはできなかった。それをすれば、自分が異常だということを進んで認めることになるような気がしたのだ。

描いていると、武村が振り向いて、辻の絵を覗き込んだ。

「お前、ちゃんと青く塗れよ」

冷笑とともに、彼は大きな声でそうなじった。

言われた瞬間、辻は自分の劣等感を丸裸にされた気がして、猛烈に恥ずかしくなった。慌てて筆に青い絵の具をつけ、似顔絵のほっぺに色を重ねた。

絵は教室の壁に並べて張り出された。辻の絵だけがやはり異質だった。その絵を先生から返してもらうと、辻は帰り道の公園でそれを破り捨てた。親には絶対見せられないと思ったからだ。歪んだ子供だと思われたくはなかったのだ。

小学校高学年、中学校と、勉強でトップクラスの成績を残しているうちに、表立って辻を蔑視する者は少なくなった。しかしその頃でも、痣を忘れたことなどは片時もない。写真を撮られるのが嫌だった。遠足などでカメラを向けられると、人の後ろに回って、その陰に顔の右半分を隠した。

部活動は剣道を選んだ。それも防具で顔が隠れるからという理由でしかない。防具をつけていると、何となく心が休まった。

武村とは中学二年生のとき、再び同じクラスになった。

「お、カビ太だ」

彼との関係は、小学校の頃と何ら変わっていなかった。ほかの連中が使いもしなくなった昔のあだ名を、名づけ親なりの愛着があるのか、何のためらいもなく口にする。

辻が無視をしても、武村は「へへっ」という攻撃的な嘲笑で追い討ちをかけてきた。そん

な空しいやり取りが挨拶代わりに繰り返される毎日が、辻には憂鬱でならなかった。

しかし、ある日突然、それは終わりを告げた。武村の姿が教室から消えたのだ。

噂はすぐに広まった。彼の父親が逮捕されたのだという。職場の同僚である女性宅のクローゼットの中に隠れていたところを、不審に思った女性の通報により、駆けつけた警官に取り押さえられたらしい。市役所に勤める公務員だったので、新聞にも載っていた。帰宅する女性のあとを興味半分でつけているうちに、気がついたら家に侵入していたという供述だった。今で言うストーカーの一種だろう。いたずら目的だったという自供もあったようだ。クラスの男子の間では記事の切り抜きが持ち込まれて、面白半分に話が転がされた。

数日後、武村は学校に戻ってきた。しかし、彼の味方になろうとする者は誰もいなかった。それも仕方ないと思えるほど、彼の身体からは生気が消えていた。見るからに運が離れていくような男になってしまっていたのだ。

本当の孤独は集団の中で作られる。給食後の昼休みに彼だけぽつんと席でじっとしている光景は、劇的でさえあった。

それを見て、辻は溜飲が下がった。

明らかに、溜飲が下がったのを感じた。

そして家に帰り、今度は猛烈に落ち込んだ。訳も分からず、気が滅入ったのを憶えている。

感だ。

あれも今日と同じだったのだ。他人の不幸にしか心の光明を見出せなかった自分への嫌悪

重い記憶を引っ張り出してしまった。

日記を書こう。

たび重なる事件に忙殺され、神経が磨耗しているのだ。今は、この心境を正直に綴ること

でしか自分は救われない。

「何にも話してくれないから」

不意の声に振り向くと、部屋の入口に笙子が立っていた。疲れた顔をしていた。

「何にも話してくれないから見たの。私に言わないことも日記には書いてるから」

「仕事のことなんだ。お前に話すことじゃない」

「だけど、その日記……」

「分かるだろ」

言葉をかぶせて強引に話を打ち切った。卑怯かもしれないが、それで通用するならばそれでいいと思う。婦人警官だった彼女には「仕事」という言葉が一番の免罪符となる。

結婚してからまだ二年も経っていないが、何に浮かれて一つ屋根の下に暮らす生活を選んだのかさえ思い出せない関係になってきている。彼女もそう思っているだろう。

今振り返って思うと、彼女との結婚は妥協と幻想の産物だったような気がする。お互いにだ。

笙子は結婚願望があって相手を探していた。その候補にたまたま辻が挙がった。学歴もまあまあで花形の刑事をやっている。顔の痣というのは、彼女にとって妥協できる要素だった。

そういう選択だったと辻は思う。

ある意味で彼女は現実的だった。そして辻自身はと言えば、彼女とは正反対だった。幻想を追い求めていた。

少年時代から辻は、いつか聡明な美女が自分の心だけを見てくれるのでは、というような幻想を抱いていた。その幻想が現実に惨敗して鬱屈した一人の大人が出来上がったところに笙子は現れた。彼女は聡明でも美女でもなかったが、自分に思いを寄せてくれる女性であることには違いなかった。そこに自分は幻想の現実化を感じていたのだと辻は思う。自分に思いを寄せてくれている。その一点だけで辻は笙子との結婚の道を選んだ。

逆に言えば、それがこの結婚の限界だったのだ。自分は彼女のどこが好きなのか？　それ以前に、彼女のことが好きなのか？　そんな根本的なことを考えると、この結婚は決して幻想の現実化ではないことが分かってくる。

結婚のことだけではない。

刑事になれば強くなれる。それも幻想以外の何物でもなかった。

考えてみると、自分はそういう幻想のようなものを常に抱えて生きてきたと辻は思う。幻想という言葉が曖昧なら変身願望と言ってもいい。

大人になれば自分は変われると思っていた。刑事になれば変われると。結婚すれば変われると。

しかし、実際には何も変わらないのだ。環境が変わろうと属性が変わろうと、この辻薫平という鬱々とした人間のベースは物心ついた頃から脈々とつながっていて、性質を変えようとはしない。だから、最後にはこの人格の根っこというべきところに戻り、この痣がなくなれば自分は変われるのに……と、それこそ永久に叶えられない変身願望を抱いては、現実の忸怩たる自分への言い訳としている。

誰かこの生身を使って違う生き方を見せてくれる者はいないだろうかと思う。こう生きればいいじゃないかと見本を簡単に示してくれないか。

また不毛なことを考えている。この生身は辻薫平のものでしかない。この悩みも辻薫平のものでしかない。

ならば今はただ、現実との葛藤を日記に綴るしかないのだ。

日記を書こう。

5

雀荘での事件があった翌朝、守年は喫茶店でモーニングセットを食べ終えると、加茂署へ直行した。久し振りに会う面々に挨拶をしつつ、盗犯係の福地を呼び出す。

福地に昨日の事情を話して似顔絵の協力を求めると、彼は快諾してくれた。

「じゃあ、ちょっと集中しやすいように、別室へ行きましょう」

福地は大きなスケッチブックと筆記具を抱えて、小会議室に入った。細長いテーブルを挟んで座る。福地は自分のほうへスケッチブックと筆記具を傾けて、すぐに何やら描き始めた。

「しかし、モリさんが目撃者になるとはねえ。運がいいと言うか悪いと言うか……」

そんなことを言いながら、シャープペンが紙の上を走る音を立てている。

「やっぱり描いてるところを見てると、その絵と記憶が混乱してきますからね。パッと見た印象でいきましょう。モリさんにはそのほうがいいと思いますよ」

「おはようございます」

ノックの音がして入ってきたのは辻だった。昨夜、辻にはこちらへ直行すると伝えてあった。

「どこか当たりに行きたいとこがあったら、一人で行ってきていいぞ」

「いえ、そういうわけにもいかないんで」

辻は守年の隣に少し距離を置いて座った。

「すいません。僕がもう少し注意して見てればよかったんですが」

「別にお前が謝ることじゃない」

「麻雀のメンバーだった野中さんや店主からも似顔絵を作るそうなんで、仮にうまくいかなくても心配ないと思います」

「身体の心配をしてくれるのはありがたいが、そんなことまで気を遣ってもらいたいとは思わんな。自分より一般市民を頼りにするようになったら、俺も終わりだ。全集中力を使ってでも記憶の中からあの顔をあぶり出してやる。まったく真っ白というわけでもないんだ。もやもやしたものはある。それを何とかはっきりさせたい」

「中肉中背、こげ茶のシャツに濃紺のズボン、紺のスニーカー。大きなアタッシュケース。身体つきはこんな感じでどうですか？」

スケッチブックには首から上のない人間が色鉛筆の色つきで描かれていた。身体と合わせ

て描いてくれるらしい。そのほうが記憶を呼び起こしやすいかもしれない。ありがたいと思った。

「もう少しズボンがよれよれで太かったような気がする。タックが入ったようなやつだ」

「なるほど」

福地はさらさらと描き直して、また守年に絵を向けた。

「うん」守年は少し考え込んで頷いた。「とりあえずこれでいってくれ」

「帽子は深くかぶってましたか?」

「深かったが、顔は見えた」

「形はこんなふうで?」

「ひさしはそんなに長くない。布地も柔らかい感じだった」

「こんな感じですね」

「ああ。次、顔をいってくれ」

福地のペンは速い。うまさと併せても県下の警察官の中で、一番の腕ではないかと守年は見ている。

「さすがですね」辻が感心して言う。「本当は美大に入りたかったんだよ」

福地が、今思い出したという感じで言った。

「ほう。初めて聞いたな」

守年が言うと、福地はくすくすと笑った。

「中学も高校も美術部だったんですよ。まるっきりの文化系。運動部の連中が坊主頭で汗かいてるとこ、私はマッシュルームカットを揺らして美術室に通うもやしっ子だったんですよ」

「想像もつかんな」

「まったく。今じゃ、フケまみれの頭かきながら刑事部屋に通うただのおっさんですからね。イラストレーターになりたかったのに、どこでどう間違っちゃったんでしょうね」

守年もニヤリと笑った。

「まあ、人生そんなものだな」

「モリさんは子供の頃から刑事になりたかったんですか?」

「いや。俺は釣具屋のあんちゃんになりたかったな」

「へえ」

辻と福地が口々に笑いの混じった声を洩らした。

「こぎれいな店持って、活きのいいおとりの鮎を仕入れてな。馴染みの客と日がな一日釣り

の話したりな。気が向いたら川に入って達人の釣技をちょっとばかし見せつけてやるみたいなあんちゃんだな。そんなのに憧れとったな」

「でも、その夢なら定年してからでも十分叶うんじゃないですか」

福地がそそのかすように言う。

「ふむ」守年は一つ息をついた。「まあ、誰しも一人分の人生しか生きれんということよ。辻はどうだ?」

「僕ですか……僕は親父が警察官だったし、何となく刑事になりたいと思ってましたね。刑事になったら自分が強くなれるような気がして……まあ、刑事になったら強くなれるか……確かに幻想だな。そうか、幻想でしたけど」

「警察だ?」

「愛知県警です。といっても三年前に殉職しましたけど……警邏隊にいて、不審車両をパトカーで追っているときにトラックと出会い頭に衝突したんです……」

辻は訥々と語った。

守年は鼻から重い息を吐いた。

「そうか」としか、言ってやれなかった。

「辻君は何やら苦労して生きとんなあ」

福地が戸惑ったような表情を見せる。彼は辻よりむしろ守年に話しかけるように言った。

「彼はいい刑事になるよ。親父さんは身をもって大切なことを学ばせてくれたんだわ。今、痛みの分かる刑事は少ない。みんな口ばっかりだでな」

「そうだな」

守年は辻をちらりと見て相槌を打った。

身の上話はそのあたりで打ち切られ、守年は似顔絵のほうに専念した。福地が似顔絵用に持っている数タイプの顔から何となく似ているようなものを選び、それに近い顔のバリエーションをまた何枚か描いてもらった。迷ったときは色をつけてもらったり、線を足してよりリアルに描いてもらったりした。

脳みそが熱を持つほどの集中力が必要だった。曖昧な記憶の像を固定し、研ぎ澄ませていく。目の前の絵と記憶の像との間で交配が起こらないよう気をつけるだけでも神経が疲弊した。

途中何度も休憩を取り、辻が作ってくれたカップラーメンを食べたあとは仮眠まで取った。

そして、三時頃にはようやく、こんな感じではという顔が出来上がってきた。

「ふむ。もう少し頬のあたりの立体感を描いてくれんか」

「あんまり、リアルに描き込まないほうが、広い目撃情報が集まりますよ」

「いや、あと一歩納得がいかん。もう少し頑張ってくれ」

福地は苦笑しながらも、再びスケッチブックに手を加え始めた。

微調整はさらに一時間ほどかかった。ようやくペンを置いた福地は、何とも言えぬ表情で伸びをして、それからぶらぶらと手首を振った。

「いやあ、まいった、まいった。もうしばらくは、似顔絵はいいですわ」

「悪かったな。助かった」

「いえいえ。モリさんも相変わらずだなと分かってよかったですよ。体力はまだまだでしょうから、くれぐれも無理はしんといて下さい。私も今日は帰らしてもらおうかな」

そう言って笑う福地に、守年は冗談混じりに頭を下げた。

「早速、猪俣主任に連絡して、来てもらってくれ」辻のほうを見て言う。

すると辻はすぐには動かず、似顔絵に目を落とした。

「実は先入観を与えるといけないんで、報告が遅れましたけど……」

「……何だ？」

「昨日の現場。アタッシュケースと麻雀牌から荒の指紋が出ました」

「何っ？」

自分の声が思いのほか、頭の中で反響した。揺れる感覚があった。

「今朝、三係のほうから連絡がありました。それで、夕方から可児署の帳場が中署に移るそうです」

「むう……」

何も考えられなくなり、ただ腕を組んだ。真っ白になった頭の中を、時間をかけて正常に戻す。

守年は今までかかって作った似顔絵に視線を落とした。

これが荒か？

確かに似顔絵の顔は五十歳前後の顔立ちをしている。これといって特徴のない顔。地味な目鼻立ち。言葉にすれば、荒との共通点はある。しかし、この似顔絵はどう見ても荒ではない、と思う。

今回の捜査本部で見た現在の荒の似顔絵は、二十一年前の荒の面影を確実に残していた。あれは刑務官らに当たって作ったものだろう。二十年で顔が変わってしまう者もいることは確かだが、荒の場合は違う。

いや……荒の似顔絵は二十一年前の写真をベースにしている可能性も高い。刑務官らに形の上で確認を取っていたとしても、現実には昔の面影などそれほどは残っていないということとだってあり得る。

「これを持ってくしかないだろ」

守年は自分に言い聞かせるように言った。

「そうですよ。自信を持って叩きつけてやりゃいいんですよ」

福地のその言葉に送り出されるようにして、守年は辻とともに加茂署を出た。

（下巻に続く）

この作品は二〇〇一年九月小社より刊行されたものを文庫化にあたり二分冊したものです。

幻冬舎文庫

日本柔道強化チームのコーチを務める望月篠子は、柔道界の重鎮から極秘の任務を言い渡された。「ドーピングをしている選手を突き止めよ」。スポーツミステリー第一弾! 鮮烈なるデビュー作。

復讐のため全てを耐えた男。ただ一度の選択を生涯悔いた女。二人の人生が26年ぶりに交差し運命の歯車が廻り始める。孤独と絶望を生ききればこそ愛を信じた者たちの奇蹟を紡ぐ慟哭のミステリー!

ある日突然、作家の素直な息子が悪魔に豹変した。家庭とは、これほど簡単に崩壊するものか。作家とは、かくも過酷で哀しい職業なのか。編集者とは、こんなにも非情な人種なのか。鬼才の新境地!

闇金融を営む富樫組の若頭の桐生は膨大な借金を抱えたエステサロンのトップセールスマンで女たらしの玉城に残酷なワナを仕掛ける……。金の魔力を描き切った現代版『ヴェニスの商人』!

黒鷲——不良債務者を地の果てまでも追いつめる黒木を誰もがそう呼んだが、彼の眼前で婚約者が凌辱され、凋落した。二年後、レイプ犯の写真を偶然目にし、再び黒鷲となって復讐を誓う!

幻冬舎文庫

●最新刊
モザイク
田口ランディ

精神病院への移送中、「渋谷の底が抜ける」という言葉を残し、逃亡した十四歳の少年は、霧雨に濡れるすり鉢の底の街に何を感じたのか? 知覚と妄想の狭間に潜む鮮烈な世界を描く、傑作長篇。

●好評既刊
コンセント
田口ランディ

アパートの一室で腐乱死体となって発見された引きこもりの兄の死臭を嗅いで以来、朝倉ユキは死臭を嗅ぎ分けられるようになった。自分は狂ったのか……。各界に衝撃を与えた小説デビュー作!

●好評既刊
アンテナ
田口ランディ

十五年前、妹は忽然と消えた。父は死に、母は新興宗教にのめり込み、弟は発狂した。そして僕はSMの女王様と出会ったことで心身ともに変容し始めていた……。最先端文学、文庫改稿版。

●好評既刊
縁切り神社
田口ランディ

京都の縁切り神社に迷い込んだ私は、一枚の絵馬に気づき、ぞっとした。見知らぬ女が私と彼とが別れるのを祈願していた……。男女のリアルで意外な一幕を描く傑作・恋愛小説集。文庫オリジナル。

●好評既刊
忘れないよ! ヴェトナム
田口ランディ

まさか私が旅行記を書くために何も知らないヴェトナムを訪れるとは……。不思議な運命と新鮮な出会い。自由に、気ままに、時には危険も辞さない珍道中の数々。田口ランディのデビュー作!

幻冬舎文庫

幻冬舎文庫

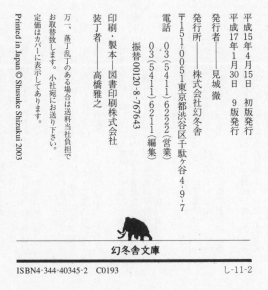

きょ ぼう
虚貌（上）

しずくい しゅうすけ
雫井脩介

平成15年4月15日　初版発行
平成17年1月30日　9版発行

発行者──見城　徹

発行所──株式会社幻冬舎
〒151-0051東京都渋谷区千駄ヶ谷4・9・7
電話　03（5411）6222（営業）
　　　03（5411）6211（編集）
振替00120-8-767643

装丁者──高橋雅之

印刷・製本──図書印刷株式会社

万一、落丁乱丁のある場合は送料当社負担で
お取替致します。小社宛にお送り下さい。
定価はカバーに表示してあります。

Printed in Japan ©Shusuke Shizukui 2003

幻冬舎文庫

ISBN4-344-40345-2　C0193

し-11-2